La succession

JEAN-PAUL DUBOIS

La succession

ÉDITIONS DE L'OLIVIER

ISBN 978.2.8236.1025.3

À Tsubaki, Arthur et Louis
À Cécile et Hélène LeTendre

C’est un plaisir de me tenir devant vous.
C’est surtout un plaisir de me tenir debout.

George Best

TOUS LES JOURS, LE BONHEUR

Ce furent des années merveilleuses. Quatre années prodigieuses durant lesquelles je fus soumis à un apprentissage fulgurant et une pratique intense du bonheur. Il m'avait fallu attendre vingt-huit ans pour éprouver chaque jour cette joie d'être en vie au petit matin, de courir pour polir mon souffle, de respirer librement, de nager sans peur, et de ne rien espérer d'autre d'une journée sinon qu'elle m'accompagne comme l'on promène une ombre et que le soir venu elle me laisse en l'état, simplement satisfait, abruti de quiétude et de paix loin de ce territoire désarticulé que j'avais abandonné, et surtout loin de ceux qui m'avaient mis au monde par des voies naturelles, m'avaient élevé, éduqué, détraqué et sans aucun doute transmis le pire de leurs gènes, la lie de leurs chromosomes.

Sur ce dernier point je sais parfaitement ce dont je parle.

De la mi-novembre 1983 au 20 décembre 1987, je fus donc un homme profondément heureux, comblé en toutes choses et vivant modestement des revenus que me procurait la pratique du seul métier que j'aie jamais rêvé d'exercer depuis mon enfance : pelotari.

En Floride, et surtout au Jaï-alaï de Miami, j'ai fait partie de ce petit cercle de professionnels de la pelote basque rétribués à l'année pour danser sur les murs, jouer du grand gant, fendre l'air avec une cesta punta et propulser des balles de buis cousues de peau de chèvre à 300 km/h sur le plus grand fronton du monde – un Vatican peuplé de cent papes aux mains d'osier – frôlé par les avions de l'aéroport de Miami International, et fréquenté alors par ce qui se faisait de mieux dans une ville qui. il faut bien le reconnaître, n'avait jamais été trop regardante sur la fabrique de son aristocratie.

Pour pratiquer dans cette arène aux trois murs peints du vert profond des océans basques, pour jouer à ce rythme, à un tel niveau, faire simplement partie de la liturgie, j'aurais autrefois engagé des fortunes. Et voilà qu'au contraire j'étais rémunéré par contrat, à l'année, pour mitrailler ces murs et faire hurler de joie dix ou quinze mille types qui avaient parié sur moi le temps d'une *quiniela* avant de choisir de miser l'instant d'après sur un autre arrière. Pour cette foule de parieurs je n'étais rien d'autre qu'un support de pari mutuel, un chien de cynodrome, un bourrin d'hippodrome. Mais cette condition me convenait. Je ne jouais jamais pour eux, mais pour moi. Comme quand j'étais enfant, autiste, coupé du monde, lové dans mon gant, agrippé à ma pelote, martelant sans fin les frontons libres d'Hendaye, de Saint-Jean-de-Luz ou d'Itxassou.

Et puis, sachant d'où je venais, même un statut de modeste trotteur crottant du dollar çà et là, faisait mon affaire. J'avais passé mon enfance à travailler, étudier, apprendre des choses inutiles et insensées sous le regard étrange d'une famille restreinte de quatre personnes totalement déroutantes, déboussolées et parfois même terrifiantes.

Mon grand-père, Spyridon Katrakilis, prétendait entre autres faits d'armes avoir été l'un des médecins de Staline et posséder une fine lamelle de son cerveau dérobée lors de l'autopsie qu'il avait lui-même pratiquée plusieurs jours après l'hémorragie cérébrale de Vissarionovitch Djougachvili. Il se suicidera en 1974 dans de singulières conditions.

Mon père, Adrian Katrakilis, également praticien, faisait valoir des singularités moins exotiques mais n'en était pas moins un homme assez inquiétant. Il disait souvent des choses incompréhensibles, criait « *strofinaccio* » à tue-tête et sans raison – mot qui veut dire « bout de chiffon » en italien – et avait pour habitude de recevoir ses patients en short dès les premiers beaux jours. Cette excentricité ne datait pas d'hier puisque pendant ses études, lorsqu'il assurait des gardes de nuit à l'hôpital, il était réputé pour avoir examiné ses patients en slip.

Anna Gallieni, ma mère, ne remarquait pas vraiment les singularités de son mari, et ne s'en inquiétait pas le moins du monde. Elle avait suffisamment à faire auprès de son frère cadet, Jules, avec qui elle partageait un petit magasin familial dédié à la réparation de montres en tout genre. Avec ce frère, elle vivait avec nous dans la maison commune. Avec ce frère, sur le canapé, elle regardait aussi tous les soirs la télévision jusqu'à ce que Jules s'endorme et pose sa grosse tête dans le creux de l'épaule de sa sœur. Jules était toujours collé à Anna et Anna toujours auprès de Jules.

Ce dernier mit fin à ses jours au printemps 1981. Ma mère l'imita au début de l'été dans une mise en scène qui laissa mon père perplexe sans que cela semble pour autant l'affecter.

Enfant, je grandis donc devant Spyridon qui marinait devant sa tranche de cervelet, un père court vêtu vivant comme un célibataire, et une mère quasiment mariée à son propre frère qui aimait dormir contre sa sœur et devant les litanies de la télévision. Je ne savais pas ce que je faisais parmi ces gens-là et visiblement, eux non plus.

Certes, les suicides de tous les miens mettront un peu d'ordre dans la confusion de ces liens, ces apparentements désordonnés, cette inaptitude à s'aimer et à donner à un enfant ne fût-ce que l'image d'un peu de confiance et de bonheur. Le plus étrange, c'est que la mort traversa à plusieurs reprises notre maison et les survivants s'en aperçurent à peine, la regardant passer comme une vague femme de ménage.

Je m'appelle Paul Katrakilis et je suis docteur en médecine. Je n'ai jamais exercé. Je loue un appartement sur Hialeah Drive, je possède une vieille voiture aux planchers de dentelle, et un vieux bateau guère plus étanche, équipé, lui, d'un diesel Volvo auquel je confie régulièrement mon destin. Il est amarré dans une marina du sud de la ville sans eau ni électricité.

Je n'aime qu'une chose, la pelote basque, même si je suis né à Toulouse. On y construit tous les avions du monde et pourtant la plupart des pelotaris croient ou considèrent que cette ville est une sorte de lointaine banlieue de Bayonne ou de Guernica. Et quand un Philippin ou un Argentin me demande si, chez moi, il y a un grand Jaï-alaï, je ne peux que répondre : « Non, juste un fronton libre. »

L'hiver, à Miami, c'est la haute saison. Les Américains des grands lacs et des régions des plaines, les Canadiens grignotés par le froid, croient depuis toujours en l'été éternel de la Floride. Alors, ceints de leurs missels et de leur foi météorologique, ils remplissent les hôtels, les bars, les restaurants cubains, juifs, argentins, les casinos indiens séminoles, et les boîtes de *nude girls* qui fêtent Noël tous les soirs depuis que le monde est monde.

Le 19 décembre 1987, nous avions joué en matinée et rempli le Jaï-alaï le soir en multipliant les *quinielas* jusqu'à une heure du matin. Parfois la foule rugissait comme un moteur d'avion, à d'autres moments elle émettait un bruit de fond sourd et profond évoquant le ronronnement productif d'une usine au labeur. Et cette usine-là produisait de l'argent et toutes sortes de choses que peut contenir le monde mais qui ne se disent ni se montrent. Cette usine fabriquait aussi des histoires et des légendes, des rumeurs et des crimes. En quelques années, sans doute un peu trop tracassés par la mafia, trois directeurs de Jaï-alaï floridiens avaient perdu la vie dans des circonstances fort diverses. Le premier fut abattu d'une balle dans la tête sur son parcours de golf ; le second, soigneusement découpé pour pouvoir être rangé dans la malle de sa conduite intérieure ; quant au troisième que l'on ne retrouva jamais, il est probable qu'il ait contribué à la solidité des fondations de l'un des immeubles qui poussaient quotidiennement sur les sables fertiles des rives de l'océan.

En quittant le fronton, dehors, la nuit sentait vraiment la nuit. Une nuit du Sud, urbaine et cuisinée, stimulante et négligée, parfumée au *pollo asado* des *food trucks* et au kérosène transpirant des 747 tout proches, une odeur diffuse, particulière à cet endroit, bien loin des mangroves et qui se répandait à la façon d'un prégnant et invisible brouillard à mesure que tombait le soir.

J'avais remporté quelques points en défense et empoché 60 dollars de prime. Des sommes qui n'avaient rien de bien extraordinaire mais qui à la fin du mois me permettaient parfois de doubler les 1 800 dollars de ma paye. Les plus grosses vedettes pouvaient gagner 8 à 10 000 dollars par mois. C'est elles qui faisaient se lever les foules et chanter les paris. Nous, nous étions les petites mains, les petits gants de l'entreprise, la classe ouvrière d'un drôle de monde qui partait chaque jour au labeur avec son casque de mineur coloré et son étrange outil de travail dont l'âme était gainée de châtaignier coupé à lune descendante et le corps, d'une armure blonde tressée d'osier.

En trois ans j'avais acheté trois voitures et en avais revendu deux. Une vieille Mercury Brougham qui sentait perpétuellement le vieux poisson et que l'on ne voyait plus circuler que dans de vieux feuilletons tournés au Mexique. Une Wagoneer de 1964 avec un plaquage de faux noyer en plastique appliqué sur le bas des portes et la malle arrière. Avec le maigre produit de ces ventes j'avais acquis une Karmann Ghia de 1961 dont les planchers étaient dévorés par la rouille qui s'attaquait aussi aux ailes et aux contours de phare.

Cette nuit-là, c'est avec Joey Epifanio, mon dernier partenaire de *quiniela*, que je partis dîner. J'adorais ce joueur d'origine cubaine. Il avait un surnom qui lui allait à ravir : « *Nervioso* ». Et c'est vrai qu'il était difficile d'imaginer un être humain plus agité que lui. Je crois pouvoir affirmer ne l'avoir jamais vu en position statique. Même dans les vestiaires il trouvait le moyen d'aller et venir, de s'agiter, de tripoter sans cesse des choses avec ses mains, ses pieds, de se suspendre à une porte, de jouer au football avec des gobelets vides et cela jusqu'à ce que le gobelet s'épuise. Nervioso avait une énergie exceptionnelle. Il était une sorte de gros hamster compulsif alimenté par une pile à combustible qu'il n'hésitait pas à recharger de quelques rails de cocaïne chaque fois que la situation l'exigeait. Epifanio était un bon pelotari, un bon attaquant au jeu franc, qui dormait très peu, vivait énormément, et selon ses propres dires passait tout son temps libre à *quimbar y singar*, ce qui dans les deux cas, en cubain, signifie « pratiquer l'acte sexuel ».

Dans la voiture, alors que nous roulions vers une *cantina* ouverte toute la nuit, Epifanio regardait la route défiler sous ses pieds à travers les trous que la corrosion avait ménagés dans les planchers. Il était subjugué par cette sorte de tapis roulant vertigineux qui chuintait et glissait devant lui. On sentait qu'il aurait aimé que tout, dans la vie, aille aussi vite, à son rythme, pour qu'il se sente enfin en phase avec le monde.

À table, en dévorant des foies de poulet grillés et des haricots noirs, il m'expliquait, agitant ses mollets contre les pieds de la chaise, qu'il n'aimait pas trop la haute saison, c'est-à-dire l'hiver. Il disait que cette ville était faite pour l'été, quand il pleuvait à boire debout, quand les orages fracassaient la mer et limaient les immeubles, quand les ouragans faisaient valser les feux rouges, arrachaient les toitures, cisaillaient les panneaux de signalisation et rendaient tout le monde fou. Il aimait le bruit des sirènes de police qui essayaient de faire face, le hurlement des ambulances étouffé par la puissance des bourrasques, cette furie qu'il fallait endurer coûte que coûte. Dans ces moments-là, Epifanio me racontait qu'il sortait dans le chaos. Il sortait et marchait face à la tempête, avec la folie de son tourbillon intérieur, son cyclone à lui, ajouté à ce qu'il avait pris dans le cornet pour l'occasion, et il sortait et avançait, encore et encore, quoi qu'il lui en coûte, quel que soit le prix de chaque pas, et cela jusqu'à la fin, jusqu'à ce qu'il s'effondre ou que la tempête se fatigue avant lui. Jusqu'à présent c'est elle qui avait toujours cédé en premier.

Voilà pourquoi j'avais été heureux ici pendant quatre ans.

Chaque journée m'avait ménagé des petits instants comme celui-là, des repas pris en compagnie de Basques, d'Argentins, de Cubains, de joueurs arrivés de Manille ou du Pérou et même de New York, habités d'une foi aveugle, d'un désir immarcescible, venus chercher ici l'origine d'un tout petit monde qui tenait dans le creux d'une main, un monde si petit que c'était à peine s'il respirait, mais pour lequel on était prêt à affronter tous les monstres de la Création, quand bien même ils ressembleraient à ces incroyables éclairs qu'Epifanio parvenait à éteindre et glisser dans sa poche.

J'ai ramené Joey chez lui. Comme à l'aller il a regardé défiler la route au travers du plancher. Puis, arrivé devant son immeuble, il a vu que la lumière était allumée dans son appartement. Il s'est frictionné les mains comme s'il allait affronter le blizzard, puis avec un gourmand sourire d'ancien *habanero* il m'a dit : « *quimbar y singar.* »

Sur Hialeah Drive, cette avenue sans grâce, il ne se passe rien de particulier sinon le va-et-vient des gens qui vont et viennent en bas de chez moi. C'est l'hiver, il fait très doux, et je ne veux rien d'autre que d'être ici. Le défunt Spyridon Katrakilis et les feus quasi-jumeaux Gallieni errent dans leurs univers complexes aux logiques concaves et illisibles. Quant au survivant, ce père aux jambes nues, il est toujours sur terre, mais mon esprit l'a mis depuis longtemps en orbite.

Le matin du 20 décembre 1987 je me rendis à mon bateau. Il s'appelait *Señor Cansado*. En espagnol cela voulait dire quelque chose comme « Monsieur Paresseux ». Une coque à clin, une cabine minimaliste pour s'abriter pendant les grains et une ligne d'arbre qui vous promenait à six nœuds. Un bateau venu d'un autre monde, quelque chose qui flottait encore mais qui n'avait plus sa place dans les marinas de Coconut Grove où les Evinrude surpuissants côtoyaient les derniers modèles de chez Mariner ou de chez Mercury. Il était amarré au sud de la ville sur un ponton bricolé au bout d'un parking public. Son ancien propriétaire me l'avait échangé contre la vieille Jeep Wagoneer. C'était un employé du Jaï-alaï qui allait prendre sa retraite. Il avait une cabane du côté des Everglades. Un bungalow en bois qui s'envasait lentement dans les marais. En me donnant les clés de *Señor Cansado*, il dit : « Ce bateau ne te lâchera jamais. Il est comme ma femme. Ce que je veux dire par là c'est que tu l'auras toujours sur le dos. »

Le ciel était gris avec, çà et là, des taches sombres qui faisaient penser à des hématomes. Le vent venait de l'ouest, une brise légère qui, à cette époque, ne voulait pas dire grand-chose. Débarrassé de ses amarres, *Señor Cansado* s'éloigna lentement de la terre vers Fisher Island, puis au bout d'une demi-heure obliqua sur sa gauche pour rejoindre Biscayne Bay, cette petite mer intérieure qui sépare Miami de Miami Beach. L'air avait un goût. Il laissait une sorte d'empreinte sur la langue et dans le nez. Cela n'avait rien à voir avec ce que l'on pouvait ressentir au large, en pleine mer. Ici, il y avait des marqueurs humains qui altéraient la puissance de l'iode et du sel, des résidus de l'activité grouillant de part et d'autre de la baie, même un dimanche, même un 20 décembre, même en plein hiver. L'eau était lisse comme le tissu d'un billard. Pas le moindre clapot.

Dès que je mettais le pied sur mon bateau, j'étais vraiment heureux. En cela j'avais bien du mérite car, malgré ma position de capitaine, je souffrais d'un mal de mer chronique. Et aucune médecine n'avait pu endiguer mes nausées. Quand la mer forcissait, je sentais qu'en moi les choses partaient dans tous les sens et que j'allais devoir rejeter par-dessus bord le peu que j'avais eu la faiblesse d'emporter. Je vomissais avec l'application et la constance d'un Anglais en vacances. Sur mon propre bateau. Mais j'aimais plus que tout naviguer. J'avais toujours sur moi un sachet de Fisherman's Friend, des pastilles d'une menthe si forte qu'elles pouvaient soulever une ancre. À l'arrière du paquet étaient imprimés ces quelques mots : « *Never be without a friend*, pensait le pharmacien James Lofthouse lorsqu'en 1865, il créa les pastilles Fisherman's Friend pour les marins qui, par tous les temps, se rendaient en haute mer. » Des allusions lourdes de sens et de promesses pour le médecin que j'étais. J'imaginais des pêcheurs hâves et livides, penchés sur le bastingage et soudain revigorés, l'estomac bien arrimé par les menthes de James Lofthouse. Quel que fût l'état de la mer, dès que je quittais le ponton j'avais en bouche ce remède au sorbitol, à l'aspartame, au stéarate de magnésium et à l'huile de menthe dont j'espérais des miracles.

Alors que je laissais sur la droite North Bay Village, au milieu de la baie j'aperçus quelque chose qui nageait en surface à une centaine de mètres du bateau. La logique eût voulu que ce fût un poisson de bonne taille mais, même de loin, il était clair qu'il s'agissait d'une autre sorte d'animal qui, à l'évidence, n'aimait pas l'eau.

Je me dirigeai vers lui et coupai le moteur lorsque je fus tout proche. C'était un chien. Un petit chien d'une quinzaine de kilos, battant l'eau de ses pattes avant pour rester à flot, les yeux grands ouverts, rivés au monde, accrochés à la vie comme deux hameçons. Je manœuvrai au ralenti jusqu'à ce qu'il se retrouve contre le flanc du bateau, je me penchai par-dessus bord, l'agrippai par les pattes et le hissai à bord. C'est à peine s'il eut la force de s'ébrouer. Je l'enveloppai dans une grande serviette de bain et le couchai près de moi sur la banquette du poste de pilotage. Quelque chose alors se passa dans son regard, la fatigue balayant la frayeur il souleva faiblement la tête, m'examina assez longuement puis comme si nous vivions ensemble depuis toujours, posa sa joue contre ma cuisse et s'endormit dans l'instant.

Au vu de l'endroit de la baie où nous nous trouvions et de la distance qui nous séparait des rives les plus proches, il était évident que cet animal, au mieux un bâtard des rues, en tout cas pas un chien d'eau, n'était pas venu là à la nage. On l'avait jeté par-dessus bord. Autour de moi trois bateaux naviguaient en ce moment sur la baie. Tous filaient vers le nord. Avec les six nœuds que je pouvais espérer tirer de mon vieux moteur Volvo, il ne me restait qu'à faire demi-tour, retourner au ponton et voir comment je pouvais soigner ce chien.

Une fois le bateau amarré et le moteur coupé, l'animal se réveilla et s'étira comme s'il venait de passer une bonne journée à la plage. Son poil était encore collé, il ne ressemblait pas à grand-chose et n'avait ni collier, ni tatouage. Il sauta du bateau, s'assit sur le ponton, et me regarda l'air de dire : « Bon, on fait quoi maintenant ? »

J'ouvris la porte de la Karmann et il bondit sur le siège passager. C'est ainsi que la vie fabrique une rencontre entre un type et un chien, en croisant leurs improbables trajectoires, un dimanche d'hiver, au milieu d'une baie, alors que la logique aurait voulu que l'homme continue à naviguer vers le nord en regardant droit devant lui et que le chien, lui, se noie, un peu plus loin, à bout de forces.

En roulant vers chez moi je caressais son museau. Il n'éprouvait aucune méfiance. Il savait qu'un type qui l'avait sauvé des eaux ne pouvait pas être vraiment mauvais. Personne ne le recherchait ni ne viendrait jamais le réclamer. Il pouvait rester avec moi s'il le souhaitait. Son nom serait Watson.

Je n'avais pas ouvert ma boîte aux lettres depuis deux ou trois jours. Il n'y avait pas beaucoup de courrier. Trois lettres dont une postée de France. Sur l'enveloppe je reconnus aussitôt la graphie de mon père. À l'intérieur, deux photos. Sur la première, son cabriolet Triumph Vitesse MK2 de 1969 vu de côté. Sur la seconde, un cliché très net en plan rapproché de son compteur kilométrique, qui indiquait en fait des miles, et où l'on lisait « 77777 ».

Rien d'autre. Pas le moindre mot.

Le dernier message de mon père remontait au tout début de mon installation ici, à Miami, en 1983. Point de Triumph cette fois-là, ni de facétie d'odomètre, mais seulement ces quelques mots : « Un jour tu finiras par prendre ma succession. »

Je préparai un repas de bienvenue pour Watson avant de m'installer sur le canapé pour examiner en détail les deux photos envoyées par Adrian Katrakilis, comme si je pouvais y découvrir un signe, un indice susceptible de m'aider à décrypter les méandres du cerveau de mon père. Après quatre années de silence, d'ignorance et d'indifférence, il m'envoyait des images de sa vieille voiture.

Conduite à droite. Bleu nuit. Volant à trois fines branches métalliques. Compteurs Smith. Quatre vitesses synchronisées. Overdrive. 2 litres. 6 cylindres. Carburateurs à huile SU.

Je me souvenais de l'époque de son acquisition et de ses circonstances, que j'avais toujours trouvées infiniment tristes.

Je me souvenais de la dernière fois où j'avais vu ma mère assise à l'intérieur.

Je me souvenais du bruit si particulier de son pot d'échappement.

Je me souvenais de la forme pointue et effilée de ses ailes arrière et de la disposition froncée de ses quatre phares avant qui donnaient à la voiture cette expression têtue, butée et perpétuellement contrariée.

77777 miles. 125 169 kilomètres. Et alors ?

Comme un chien des neiges, Watson fit trois ou quatre tours sur lui-même avant de s'affaler près de moi sur le canapé, le poil toujours humide, l'odeur de la baie remontant de sa mémoire et flottant maintenant autour de nous, à la fois invisible et palpable, comme pour nous rappeler ce qui nous unissait et surtout d'où nous venions, lui et moi.

Il était 15 h 30. Aujourd'hui je ne jouais pas. Près de moi j'avais un chien et deux photos. Je pensai que les planchers troués de la Karmann étaient maintenant trop dangereux pour Watson. Je devais faire souder des plaques de métal pour les boucher. Cela se faisait facilement ici, c'était même un procédé très courant chez les carrossiers cubains.

Il était 15 h 30. Je ne le savais pas encore, mais il me restait très peu de temps pour profiter de cette vie que j'avais bricolée avec les outils de mon enfance et de ma jeunesse.

Quelques heures tout au plus.

De ma place, je voyais clignoter le voyant du répondeur posé sur une tablette dans l'entrée. Il clignotait depuis mon arrivée. Il clignotait comme il l'avait fait des centaines de fois depuis que j'habitais ici. Et toujours pour m'annoncer des nouvelles sans relief véritable, des types qui me demandaient de passer les prendre en allant au Jaï-alaï, ou qui m'invitaient à boire une bière après le travail, Nervioso qui voulait me raconter sa dernière soirée à *quimbar y singar* ou encore Friendly Auto Repair sur NW 2nd Avenue qui m'annonçait que la voiture était prête. Le flux téléphonique courant d'une petite vie quotidienne.

Il y a un peu plus de deux ans une femme m'appelait aussi de temps en temps. Elle s'appelait Soraya Luengo et travaillait au Miami City Hall où elle était employée au service des achats. De la simple rame de papier au renouvellement du parc des camions de pompiers, toutes les commandes de la ville étaient avalisées dans ces bureaux. Soraya était un agent parmi d'autres, chargée de recevoir les représentants des compagnies venues proposer leurs offres. Selon les règles en vigueur à la mairie, les conversations pouvaient se dérouler en anglais ou en espagnol puisque, compte tenu de la population de Miami, le bilinguisme était une obligation légale dans l'administration. Avec un certain orgueil, Soraya prétendait que Miami était la vraie capitale de l'Amérique latine. Et pour prouver ses dires, elle servait à chacun sa blague favorite : « Reagan rencontre Castro. Le président cubain demande à son homologue américain : "Quand allez-vous nous rendre Guantanamo ?" Et Reagan de répondre : "Quand vous nous aurez rendu Miami." » Dans le quartier de Little Habana sa petite histoire aurait pu avoir un certain succès, mais malheureusement pour elle, la plupart de ses interlocuteurs la connaissaient déjà.

Je ne saurais qualifier véritablement la nature de notre relation. Pour ma part, les choses étaient simples : j'aimais être avec elle. J'aimais manger, me baigner, faire du bateau, discuter, baiser avec elle et même, de temps en temps, fumer ses cigarettes *hechos a mano*. La concernant, je dirais que le sentiment principal qui dominait chez elle lorsqu'elle me considérait était la perplexité. Elle ne comprenait pas qu'un homme de mon âge, diplômé de médecine, ait quitté son pays, sa ville, sa famille pour s'installer à Miami et jouer à la cesta punta, ce jeu puéril fait, disait-elle, « pour des bergers ». « Qu'un Basque fasse de ça un métier, c'est déjà bizarre. Mais toi tu n'es pas basque. Et en plus tu es docteur. Qu'est-ce qui cloche chez toi ? » *What's wrong with you ?* était son expression anglaise favorite. Et sur sa langue les *r* de « *wrong* » roulaient en s'accrochant partout. Je me contentais alors de lui sourire et, *wrong* ou pas *wrong*, le soir même, ou le lendemain, j'enfilais mon gant d'osier pour lancer, recevoir et relancer autant de fois que mon bras en aurait la force, en sautant sur « le mur à gauche » s'il le fallait, et ramener au bercail la pelote égarée comme le font tous les bergers.

Lorsque j'emmenais Soraya Luengo faire une sortie en mer, je sentais qu'il y avait entre nous quelque chose d'irréconciliable, une sorte de fracture ontologique. D'abord, comme toute îlienne – ses gènes étaient cubains – elle considérait l'océan comme une masse fluide de désagréments – elle disait *dolor en el culo* (« emmerdement ») et très accessoirement comme une zone de bref rafraîchissement. Elle était terrifiée à l'idée de voir passer un requin dans les parages ou de partager son bain avec une raie manta. Aussi, quand elle me voyait prendre le large avec mon esquif, mon diesel approximatif et mes Fisherman's Friend pour tout viatique, lorsqu'elle me voyait tantôt actionner la pompe de cale pour nous garder au sec, tantôt rejeter par-dessus bord le toast à la confiture de cerise de mon petit-déjeuner, elle élevait la voix pour couvrir le bruit du moteur et m'assener son suave mantra : « *What's wrong with you ?* »

Ce qui n'allait pas chez moi durant ces années-là ? Je n'en avais sincèrement pas la moindre idée. Je prenais chaque jour comme un bonheur simplifié, une redevance de la chance. Je me faisais l'effet d'un joueur bienheureux qui gagnait un petit gros lot tous les matins, dès le réveil. En fait, j'ai encore une certaine gêne à l'énoncer de cette façon, mais rien, absolument rien n'allait de travers chez moi.

Un soir d'été, la chaleur était moite, étouffante, Soraya ne vint pas à notre rendez-vous et ne répondit pas davantage à mes appels téléphoniques. Le lendemain je la contactai à nouveau, en vain. Les jours suivants je me présentai chez elle à plusieurs reprises mais, à chaque fois, la porte resta close. Je me rendis à son bureau du City Hall et demandai à la voir. On me répondit qu'elle n'était pas venue à son travail depuis trois jours. Le concierge de son immeuble, que je connaissais, possédait un double de la clé et accepta d'aller voir dans son appartement. Il me dit qu'il n'y avait personne et que tout paraissait en ordre. Une semaine passa, puis une autre. Elle ne reparut jamais à la mairie. Ni chez elle. Un peu plus tard le concierge m'apprit qu'une entreprise de déménagement avait vidé l'appartement. Aucune adresse pour faire suivre le courrier.

Je n'ai jamais su ce qui était arrivé. J'ai parlé de tout ça à la police locale mais mon histoire n'a visiblement intéressé personne. « Des gens qui vont et qui viennent, qui partent sans rien dire à personne, cette ville en est pleine. »

Dans les mois qui suivirent sa disparition, souvent, avant

de trouver le sommeil, je pensais à Soraya Luengo et lui murmurais : « *What's wrong with you ?* »

Lorsque le répondeur clignotait dans la pénombre, le temps d'une synapse, j'envisageais le meilleur. Cette fois ce fut le pire. Du haut-parleur de la machine sortait une voix française, terriblement française, à la fois précise et distante, sûre d'elle-même, presque en représentation, une voix qui me demandait de me présenter dès que possible au consulat de France, 1395 Brickell Avenue. Le ton était presque comminatoire. L'appel avait été passé pendant que j'étais en bateau. J'essayais de joindre la représentation française mais un répondeur têtu m'opposa des phrases toutes faites et la litanie des horaires d'ouverture des bureaux.

Watson m'avait suivi et bondit dans la voiture. J'avais mis un morceau d'aggloméré sur le plancher pour éviter qu'il ne glisse au travers. Je lui avais confectionné un collier avec un vieux foulard noué et, en guise de laisse, le bout d'une amarre réformée. La Karmann n'avait pas fait cent mètres que mon chien – les formules d'adoptions canines sont ici très rapides – dormait de tout son poids sur cette terre.

Au consulat il fallut que je sonne, que je patiente, que l'on m'introduise dans le hall, que je patiente encore, avant d'être conduit par un homme muet dans une pièce qui ne ressemblait ni à un bureau, ni à une resserre. Rien n'était prévu pour s'asseoir, il n'y avait ni fenêtre, ni aération, juste une lampe sur pied, posée sur le rebord d'une bibliothèque vide.

Le chien était à mon côté. Immobile. Me regardant fixement comme si j'étais le centre du monde.

Le bas de la porte frotta contre le parquet, elle s'ouvrit, et un homme qui n'avait rien d'un diplomate, même en zone pré-tropicales, entra et dit : « Bonjour. Vous êtes ? » Stupéfait par sa question, je déclinai mon identité. Il eut un bref regard désappointé vers Watson puis : « Vous avez votre passeport ? » Il s'en saisit et le feuilleta comme s'il consultait des planches d'Audubon.

« Monsieur Katrakilis, nous vous avons demandé de passer au consulat pour porter à votre connaissance une pénible nouvelle. Nous avons en effet souhaité vous rencontrer pour vous annoncer le décès de monsieur Adrian Katrakilis, votre père. La mort a été constatée hier à 16 h 10, heure française. Au nom de la délégation je vous présente toutes nos condoléances. Nous ne sommes pas habilités à vous donner plus d'informations sur les circonstances de la disparition de votre père, mais voici quelques documents et des conduites à observer pour des Français de l'étranger confrontés à ce qui vous arrive. » Le type m'a tendu la main et je me suis entendu lui demander : « Vous êtes qui ? » Il a répondu quelque chose mais ses mots se sont disloqués avant même qu'ils ne sortent de sa bouche.

J'étais dans la Karmann. À l'arrêt. Watson attendait que nous démarrions. Je fixais mon compteur kilométrique. Il y avait longtemps que j'avais dépassé le seuil des 77777.

77777

Le chien était couché tout contre moi. Je percevais le bruit de sa respiration régulière. L'une de ses pattes était parfois parcourue d'une légère contraction nerveuse qui traduisait sans doute le frisson d'un rêve. J'avais sauvé cet animal des eaux le jour de la mort de mon père et je lui avais donné le nom de Watson. Je pouvais donc faire des petits miracles. Comme sauter sur des murs, lancer des pelotes à plus de 250 km/h, être acclamé par des milliers de personnes. De surcroît, j'étais membre de la guilde des professionnels de cesta punta. Je connaissais Joey « Nervioso » Epifanio. Comme lui, il m'arrivait de *quimbar y singar*. Je parlais l'espagnol et, certains jours même je comprenais le basque. Oui, à ma façon, je pouvais faire des petits miracles.

Jusqu'au 19 décembre 1987, aux alentours de 16 h 10, j'étais le fils unique d'Adrian, médecin généraliste, dont le cabinet était aussi, en partie, la maison de mon enfance et de ma jeunesse. Depuis hier, je suis le dernier des Katrakilis, ce qui, excepté pour moi, n'a pas grande signification. En quelques années, les uns après les autres, tous les membres de cette famille se sont supprimés. Et, tout à l'heure, en appelant le numéro donné par le consulat, j'ai appris que mon père s'était, à son tour, conformé à la règle. Le préposé ne m'a pas donné de détails sur la nature exacte de son geste, mais a sobrement observé qu'« aucun doute n'était permis sur ses intentions ». Quatre sur quatre. Tous les Katrakilis et les Gallieni dont j'avais partagé l'existence, ceux-là mêmes qui m'engageaient tant à leur ressembler, s'étaient donné la mort. Le dernier juste après avoir franchi la barre des 77777 miles.

Une simple photo envoyée de France, prise avec un appareil bon marché, suffisait à bouleverser ma vie. Bien plus quc l'annonce de la mort de mon père, cette image du compteur me rappelait qui j'étais, d'où je venais, par quelles gonades j'avais dû passer, cette bite, ce gland et cet interminable séjour dans l'utérus des Gallieni. Ces gens-là, incapables de vivre, de supporter leur propre poids sur cette terre, m'avaient fait, fabriqué, détraqué. J'étais venu jusqu'ici, jusque dans cette turne de Hialeah Drive pour ne plus faire partie de cette débâcle, pour échapper à ce fatum de sous-préfecture. Et voilà que l'autre était réapparu. Avec ses shorts misérables, son visage glabre. Ses consultations de l'après-midi. Ses éructations domestiques. Ses sentences suffisantes. Son latin de cuisine. Il était revenu m'emmerder ici, me pister comme un chien de ferme, renifler ma trace, mon odeur, ce remugle familial ; il était arrivé un dimanche d'hiver pendant que je naviguais dans la baie. Juste après m'avoir préparé à sa mort par un courrier sibyllin. Son hiéroglyphe mental. Le kilométrage de sa voiture. Les cinq 7 prémédités. Il avait roulé le temps qu'il fallait pour les aligner. Pour mettre en orbite sa petite mathématique de pacotille. Pour qu'à l'instant où je poserais mes yeux sur ces chiffres j'entende le son de sa voix prétentieuse me dire : « 7 ? Le quatrième nombre premier, réputé "sûr" et "super singulier", le deuxième nombre de Mersenne premier, le deuxième nombre double de Mersenne, un nombre de Newman-Shanks-Williams, un nombre de Woodall, un nombre de Carol. » Déstabiliser, suggérer, instiller, sous-entendre, user de son langage masqué, son vice cérébral, sa perversion de généraliste. Faire mal à bas bruit. Mourir dans le fatras des illusions factorielles, le salmigondis des puissances, des translations et des monogènes infinis, la bouche pleine de fractions continues et d'exposants et, cependant, sans un mot pour son enfant.

Et cette voiture choisie à dessein. Cette voiture anglaise avec conduite à droite dont j'avais moi-même, un jour, coupé le contact, en découvrant ce qu'un fils ne devrait jamais voir.

Les Katrakilis et les Gallieni étaient des artistes. Ils savaient mourir à n'en plus finir. Crever à la manière de ces mauvais acteurs sollicitant les rappels. Mettre en scène leurs miasmes pour embosser les mémoires, les maintenir dans l'axe du malheur, les amarrer à la peine.

J'aurais dû m'agripper aux parois de son urètre, tenir bon, résister, ne jamais sortir de ce misérable conduit et le laisser se débattre dans son éjaculation stérile de médecin conventionné.

Je me souviens parfaitement de la saison et des circonstances dans lesquelles mon père fit l'acquisition de sa Triumph Vitesse cabriolet. C'était au début du printemps 1978. À l'époque, il n'avait pas la moindre attirance pour les voitures, il effectuait ses visites à domicile en Renault 4L et, pendant les vacances que nous passions invariablement au Pays basque, il transportait sa sainte famille dans une DS19.

C'est donc par l'un de ses patients, négociant en bois et collectionneur d'automobiles, qu'il contracta cet engouement aussi étrange que soudain pour les productions des usines de

Coventry, West Midlands. Mon père prenait cet homme pour un imbécile et se vantait de jouer régulièrement avec sa niaiserie durant ses visites. Une fois ausculté, rassuré et rhabillé, l'amateur de voitures rapides se vantait toujours auprès de mon père de ses dernières acquisitions et positions. Au repas, mon père nous en faisait parfois le rapport, essayant de restituer à son avantage la saveur des dialogues : « J'en ai acheté une autre, docteur. Une Porsche Carrera de 3 litres. Mais là c'est fini, c'est la dernière. J'en suis à onze, c'est beaucoup trop. Comme j'ai dit à ma femme, celle-là, tu vois, parole d'homme, c'est la dernière, c'est elle qui me conduira au cimetière. »

Mon père se confectionnait alors un visage de benêt doublé d'une voix légèrement flûtée que nous ne lui connaissions pas et demandait au brave homme : « Ça doit aller très vite, ça, au moins 130, 140. » Et l'autre se dandinait sur son fauteuil, rosissant du plaisir de rectifier. « Vous plaisantez, docteur, 230, 240. » Et ainsi de suite... Que ce fût en famille ou dans l'exercice de son métier, j'ai toujours eu le sentiment qu'il y avait chez mon père cette appétence à palper l'âme humaine et à la tripoter comme on joue avec de la pâte à modeler.

En tout cas, un jour, dans le relatif secret du cabinet, ce client lui parla d'une Triumph Vitesse, un cabriolet 4 places d'occasion dans un état tel qu'il n'en avait jamais vu. Elle datait de 1969 et semblait sortir tout droit des usines de Coventry. Ce soir-là le docteur Katrakilis ne se moqua pas de son patient. Au contraire. Il en parla avec beaucoup de bienveillance, le dépeignant comme quelqu'un de très amical pourvu d'un grand discernement et de beaucoup de sensibilité. Puis il nous servit son histoire, plein de componction, comme s'il nous narrait par le menu la naissance d'un monde : « Cette voiture a été achetée neuve en 1969 par un certain Dennis Mason de Birmingham. Il était alors âgé de 71 ans, ce qui est assez singulier. Cet homme était célibataire, sans attaches ni enfants, et considérait cette voiture comme l'unique membre de sa famille. Il en prit donc un soin jaloux et l'utilisa chaque jour pour se rendre à Wolverhampton où il avait encore une petite affaire. Personne ne s'est jamais assis sur la banquette arrière ou sur le siège passager, à l'intérieur tout est immaculé, du tableau de bord en bois aux moquettes bouclées. Il y a quatre ans, ce monsieur Mason est descendu en France avec sa voiture pour y finir ses jours. Il est mort dans le Gers, à une cinquantaine de kilomètres d'ici, il y a une paire de semaines. Monsieur Mason qui n'avait aucune famille a fait don de tous ses biens à des œuvres de charité anglaises. Pour la Triumph, il a demandé à ce qu'elle reste en France et soit confiée à quelqu'un qui en prenne grand soin. C'est le notaire de mon patient qui a été chargé de cette liquidation. Quant au bénéfice de la vente, il sera versé à une fondation française qui s'occupe d'enfants malades. »

Mon père avala une bouchée, but une gorgée d'eau. Et sans même nous regarder ajouta : « Je l'ai achetée. »

C'est ainsi qu'au printemps 1978, la Triumph Vitesse entra dans la famille. Franchissant timidement le portail de la maison. On aurait dit que sa conduite à droite, son allure résolument britannique intimidaient mon père. Il longea la maison, les arbres du jardin et la rentra immédiatement dans le garage aux lourdes portes de chêne.

J'avais alors 22 ans, des études de médecine en cours, mais surtout mon apprentissage et mes tournois de cesta punta qui m'envoyaient sans cesse sur la côte basque. J'étais de toutes les compétitions, surtout au printemps et l'été, quand les vedettes de Floride revenaient au pays disputer les grands tournois locaux. Je jouais, je regardais, j'apprenais et je rejouais en essayant de reproduire ce que j'avais appris en regardant. Pour me permettre de me rendre à Bayonne, mon père me prêtait la Triumph. Non par gentillesse ou grandeur d'âme, mais parce que cette voiture ne l'intéressait absolument plus. Elle freinait mal, prétendait-il, était trop bruyante, trop inconfortable – bref : infiniment trop approximative, trop anglaise. En outre, conduire à droite et passer les vitesses de la main gauche était pour lui la marque d'une arriération mentale. Il était donc revenu à sa DS et à l'orthodoxie nationale des usines du quai de Javel. Du côté de Bidart ou de Saint-Jean-de-Luz, le positionnement du volant de la Triumph m'avait valu un surnom : « l'Anglais ». Dans le monde de la cesta punta je n'étais pas certain que cela fût un compliment.

Au fil du temps, je m'étais attaché à cette voiture. Nous faisions si souvent cette longue route ensemble que j'avais fini par lui trouver un certain charme. Le pommeau de vitesse rond comme une prothèse de hanche tombait naturellement dans ma main gauche et même si les compteurs Smiths calculaient nos trajets et notre vitesse en miles nous continuions, sur les portions droites, à doubler nos semblables sans la moindre suffisance mais avec tout de même une certaine allégresse.

Je disposais de deux trajets pour rejoindre la côte atlantique. Soit les routes du Gers, par Auch, l'austère, les coteaux des vins de Saint-Mont, Manciet, le circuit de Nogaro, puis les routes des Landes, Mont-de-Marsan, et Dax qui sentait presque déjà la piperade. Je pouvais également rejoindre Bayonne par Martres-Tolosane, traverser les nappes malodorantes des usines de pâte à papier de Saint-Gaudens, frissonner dans l'air vivifiant du plateau de Lannemezan, plonger dans la rampe de Capvern, oublier Tarbes, négliger Pau, prier pour que le vent souffle dans le bon sens afin d'échapper au effluves putrides de mercaptan relâchées par les raffineries de Lacq, puis cingler vers Orthez, Peyrehorade, Biarrote, les bord de l'Adour, et le goulet d'Anglet. Mais ce que j'aimais par-dessus tout, c'était la traversée et la descente de Bidart, qui ne ressemblait pas à grand-chose et ne laissait raisonnablement rien espérer de bon, et pourtant soudain, sur la droite, le miracle s'opérait et une ouverture inespérée s'offrait sur l'océan, une promesse d'immensité, l'ourlet grossier de la plage et l'air iodé qui s'engouffrait soudain par la vitre ouverte. J'avais l'impression de retrouver un ami d'enfance qui m'avait attendu toujours au même endroit, saison après saison, année après année. Pour un homme comme moi, venu des terres, cette trouée de Bidart était l'annonce d'une vie meilleure.

Cette Triumph fut aussi le témoin, la complice et même d'une certaine façon, la meurtrière de ma mère. C'est assez ridicule, j'en conviens, de parler ainsi d'une voiture, et pourtant c'est bien le rôle que tint cette auto le jeudi 9 juillet 1981, jour où ma mère se donna la mort à Toulouse.

Je m'étais levé assez tôt pour préparer mes affaires et prendre la route vers Hendaye où je devais jouer le samedi. Mes mains d'osier étaient dans leurs housses et la médecine à l'autre bout de mes préoccupations. Il faisait déjà une de ces chaleurs déplaisantes qui extrudait l'énergie de tous les corps.

La maison, qui était immense, donnait toujours l'impression d'être désertée. Chacun y vivait pour soi, dans son coin, sa chambre, son bureau, allant et venant sans prévenir. Pour moi cela n'avait rien d'extravagant, j'avais grandi ainsi, ceint de ce périmètre d'indifférence.

Mon père avait dû commencer ses visites, ma mère se rendre à son atelier d'horlogerie fine. Quant à mon grand-père Spyridon, mort depuis 1974, c'était à se demander si quelqu'un s'était aperçu de sa disparition.

C'est d'abord l'odeur qui m'alerta, vaguement écœurante, une odeur de gaz d'échappement qui n'avait rien à faire dans une cuisine. Ensuite, le bruit. Lointain, à peine audible, d'une tonalité grave, ronronnante, quelque chose que l'on eût pu confondre avec une scansion de contrebasse. Dans le jardin il n'y avait rien ni personne. À mesure que je marchais vers le garage, le bruit se faisait plus intense, et je reconnus immédiatement le ronronnement de la Triumph. Les portes imposantes du garage étaient barricadées de l'intérieur et il me fallut batailler pour les entrouvrir, glisser une main et pouvoir écarter les battants. L'atmosphère était bleuie d'hydrocarbure et une puanteur toxique empêchait d'aller plus avant. Les nuages se désagrégèrent, l'air neuf fit peu à peu sa place, et je vis apparaître le dos de ma mère. Elle était assise à la place du passager, la tête appuyée sur la vitre comme quelqu'un qui s'est assoupi en raison de la longueur du voyage. Je pris son pouls, essayai de deviner un souffle, et coupai le contact. La capote avait été baissée.

Les services d'urgence esquissèrent une technique de réanimation sur place mais ma mère était morte depuis longtemps. Le moteur était brûlant. Elle avait dû s'installer dans le garage durant la nuit, pendant notre sommeil. Mon père ne s'était aperçu de rien et, au matin, il était parti soigner des angines ou prescrire des anti-inflammatoires pendant qu'à deux pas de sa tasse de café matinale, sa femme mourait, assise dans sa Triumph, noyée dans un épais brouillard de dioxyde de carbone. La voiture l'avait tuée, mais aussi la solitude, le chagrin, la disparition de son frère, nos indifférences mutuelles, et mon père engoncé dans ses shorts ridicules.

L'asphyxie aux gaz d'échappement était la façon la moins agressive et la plus radicale de prendre congé de l'existence. J'ai lu qu'à 2 % de CO_2 dans l'air, la respiration devient plus ample. À 4 %, elle s'accélère. À 10 %, on transpire, des tremblements apparaissent et la vue se brouille. À 15 %, on perd connaissance et ensuite, au-delà de 20 %, le cœur s'arrête, la respiration avec lui, et toute la mémoire des joies, des odeurs, des sentiments, des habitudes, les clés de la voiture, l'heure de la montre, les résultats sportifs, toutes ces choses qui nous relient au monde, tout cette splendide médiocrité qui fait une vie, tout cela s'arrête définitivement.

Ainsi donc mourut Anna Gallieni, transpirante, aveuglée et suffocante sous le déluge de CO_2 dont les moteurs de Coventry n'avaient jamais été avare.

Le soir de la mort de sa femme, mon père dînait à table, à sa place, comme si de rien n'était. Autour de lui les chaises de Spyridon, de Jules et d'Anna étaient vides, mais cela n'affectait pas son appétit. Il lui restait son fils, dont il espérait sans doute qu'un jour il prendrait sa succession. Pour l'instant, il faisait des études médiocres et pratiquait surtout la chistera. C'était un peu la faute de sa mère qui ne jurait que par le Pays basque et qui y entraînait chaque année toute la famille pour toute la durée des vacances. En voyant ce fils qu'il jugeait assez pusillanime et indolent, il devait se demander souvent si, génétiquement, cet apprenti Diafoirus ne tenait pas davantage des Gallieni que des Katrakilis.

Comme chaque soir mon père prit sa part de fromage de Bethmale affiné, puis, tout en mastiquant ce morceau à faible taux de matières grasses, il se tourna vers moi et dit : « Tu tiens à la garder, la Triumph ? »

Je descendis Hialeah Drive, puis la 95 vers le sud pour sortir sur le MacArthur Causeway en direction des plages.

Watson ne me quittait pas. Sur le sable, il marchait dans mes pas, calquant son rythme sur mon allure. Nous sommes restés assis l'un près de l'autre, face à l'océan, pendant une bonne heure. Il a posé son museau sur ma cuisse, écouté le bruit des vagues dans la douceur de la nuit, puis s'est endormi, laissant aux hommes le soin de régler des soucis qu'il n'avait pas à subir, comme cet étrange sentiment d'impuissance face à l'écroulement d'une famille. La présence de ce petit animal fut pour moi, cette nuit-là, une bénédiction. Il incarnait à mes yeux la persévérance, l'obstination à s'accrocher à la surface, à lutter pour voir la lumière, n'importe laquelle, car une lueur vaut mieux que l'obscurité. Ce chien avait plus d'élan vital que tous les Katrakilis réunis. Aucun d'entre eux n'aurait flotté, nagé, brassé, bataillé comme il l'avait fait. Tout simplement parce qu'ils n'avaient jamais su comment se tenir sur la terre ou dans l'eau.

J'allais devoir rentrer en France pour enterrer mon père et m'occuper de ces choses que l'on doit régler quand on est le seul et le dernier à pouvoir les régler. Je pensai qu'après ma mort il n'y aurait plus personne pour s'occuper de ces formalités. Et pourtant tout se réglerait. Comme à chaque fois qu'un type meurt et qu'il faut faire de la place pour les suivants. Les numéros de sécurité sociale s'effacent les uns après les autres, les assurances se lassent de réclamer, les facteurs oublient l'adresse, les banques regardent ailleurs, et toute cette petite comptabilité d'une existence s'éteint d'elle-même comme une triste et mauvaise journée d'hiver.

J'allais devoir rentrer en France et regarder une dernière fois le visage de mon père. J'ignorais la surprise qu'il m'avait réservée, ce à quoi il ressemblerait, quelle image, quel souvenir j'allais devoir garder de lui. J'avais cependant une certitude, celle de pouvoir compter, le moment venu, sur la présence d'un chien à mes côtés. L'an dernier, un pelotari de Guernica avait emmené son animal avec lui à Miami. Il avait pleurniché pendant une semaine en déplorant les tarifs exorbitants pratiqués par les compagnies aériennes pour le transport des animaux en soute, lesquels représentaient, disait-il, presque un demi-mois de sa solde.

Le vacarme des restaurants d'Ocean Drive remontait jusqu'à nous par saccades avant d'être balayé vers le large par un vent du nord fraîchissant qui nous rappelait qu'en ce moment c'était l'hiver et que là-haut, très loin, vers le Septentrion, la neige était en train de tomber.

Avant de rentrer à la maison, je m'arrêtai chez Epifanio. Nervioso était tétanisé par ce que je venais de lui annoncer. Il n'arrêtait pas de répéter « *Hostia, joder* », de vagues « Nom de Dieu, putain » sans réelle conviction. On aurait dit qu'il venait de perdre son propre père et très vite je me retrouvai en position de le réconforter. Apercevant le chien, il dit : « *Cuál es este perro ?* » Puis il secoua la tête, marmonnant d'autres « *Hostia, joder* » à peine perceptibles. Il alla vers le meuble de la télévision, sortit un sachet caché derrière le magnétoscope, traça une ligne grossière sur un carreau de faïence, l'affina avec une sorte de couteau à beurre, s'enfonça une large paille de soda dans le nez et renifla son reconstituant d'une seule traite.

J'expliquai à mon ami que j'allais quitter Miami quelque temps et qu'il serait bien qu'il passe une ou deux fois chez moi pour prendre le courrier et jeter un œil au bateau. Sa façon d'acquiescer fut alors de répéter en boucle : « *Qué mierda, puta madre, qué mierda.* » Ensuite il prit place sur le canapé et, les yeux dans le vague, se mit à caresser mon chien comme si c'était le sien.

Le lendemain je me rendis au Jaï-alaï pour expliquer ma situation à l'administrateur, Gabriel Barbosa, dit Gaby. Il ne se dispersa pas en condoléances ou en formules ouatées de réconfort. « Tu seras absent combien de temps ? » Trois semaines pour régler l'essentiel seraient suffisantes. « Trois semaines pour enterrer ton père ? Putain, vous avez de la chance en France. Trois semaines. Moi, quand mon vieux est mort, le lendemain matin il était au cimetière, et l'après-midi, je reprenais le boulot. Enfin, tu fais ce que tu veux, mais il faut que je fasse venir quelqu'un pour te remplacer. Je ne peux pas faire autrement. Putain, trois semaines. »

En bas, les parties avaient commencé. Je m'assis dans la foule, parmi les parieurs qui s'accrochaient à chaque partie comme si leur vie en dépendait. Vu d'ici, le fronton paraissait encore plus beau, encore plus grand. Les pelotes frappaient les murs en claquant comme les coups de feu d'une arme de poing. Les hommes casqués couraient, pivotaient, se déhanchaient sur ce décor de vert profond comme les sombres forêts du nord. Vus de loin, tous ces joueurs de cesta punta étaient minuscules. Ils pouvaient tenir entre le pouce et l'index et ressemblaient à une escouade de soldats de plomb. J'aurais aimé qu'au moins une fois avant de mourir, mon père fasse le voyage vers la Floride pour me voir, moi, son fils, gagner ne serait-ce qu'un point et être acclamé par cette foule de parieurs qui brandissaient parfois leurs tickets comme pour nous rappeler ce que nous leur devions. Il aurait dû voir cela. Mon père n'est jamais venu me voir jouer. Ni ici, ni à Hendaye, Saint-Jean, Biarritz, Hossegor, Bilbao, Guernica ou Mauléon. Nulle part. Au fond, Barbosa avait raison. Trois semaines pour enterrer un homme pareil, c'était exagéré.

À Toulouse, le froid et l'humidité m'attendaient. Sur le parvis de l'aéroport Watson huma cet air si différent de celui qu'il avait toujours respiré. Questionnant ce monde inconnu de son museau frissonnant à la recherche d'indices, il était en train de découvrir l'hiver.

Avant de se tuer, mon père avait eu la bonne idée de ne pas couper le chauffage central de la maison. Cela faisait presque quatre années que je n'étais pas revenu ici. Rien n'avait changé. La maison fidèle à elle-même, sans charme mais massive, imposante. Le jardin donnait l'impression de livrer une bataille permanente, même si en ce moment la saison lui enlevait un peu de son exubérance.

J'étais dans l'antre, avec mon chien. Les services de police m'avaient fait connaître leur désir de me rencontrer avant que je me rende à la morgue. J'ignorais ce qu'un inspecteur pouvait bien avoir à m'apprendre que je ne sache pas déjà sur cet homme. Sans doute, les circonstances de son suicide. Vraisemblablement, oui, les circonstances.

Watson découvrit le plaisir de s'endormir lové sur un coussin, contre un radiateur de vieille fonte diffusant une chaleur discrète, muette et aussi douce que du mohair. Ma chambre était toujours cette vieille chose familière, avec ses hautes fenêtres à huit carreaux qui laissaient entrer le même air froid qu'autrefois. Les crémones avaient de plus en plus de mal à remplir leur office et le simple vitrage, d'à peine trois millimètres, recélait les imperfections de fabrication du siècle passé, qui donnaient, à certains endroits, des contours fantasmagoriques à ce monde extérieur qui s'efforçait d'être réel.

Le bureau de l'inspecteur Langelier ouvrait sur le canal du Midi, ce qui tempérait un peu son aménagement administrativement inhospitalier. Le policier me reçut avec une certaine distance, me proposa un siège sur lequel s'étaient peut-être assis toutes sortes de voleurs, d'assassins, de violeurs ou de types qui venaient de perdre leur père. Il fouilla un moment dans un dossier fermé par un ruban et me demanda une pièce d'identité. Il en releva le numéro, me la rendit puis caressa sa joue à plusieurs reprises comme un homme qui réfléchit, un homme embarrassé d'avoir à expliquer à un inconnu des choses que lui-même avait du mal à comprendre. « Je vous ai demandé de passer me voir pour que je puisse vous dire ce qui est exactement arrivé à votre père. Les constatations confirment qu'il s'agit bien d'un suicide. Mais comme celui-ci a été commis sur la voie publique, nous avons été obligés d'intervenir. Est-ce que votre père prenait des médicaments ou était suivi pour une dépression, quelque chose comme ça ? » Il fallut procéder par étapes. Expliquer à Langelier que l'agent qui avait fait ces fameuses constatations en savait beaucoup plus sur mon père et son intimité que moi, son propre fils. Que je vivais à 8 000 kilomètres de lui. Que je ne l'avais pas vu depuis quatre ans. Que c'était à peine si je l'avais entraperçu durant mon enfance et ma jeunesse. Que les médicaments, en général, c'est lui qui les administrait et que la dépression devait sans doute être considérée, chez les Katrakilis, comme un état chronique et naturel, puisque les quatre membres qui constituaient cette famille s'étaient suicidés les uns après les autres ces dernières années. Langelier était submergé, dépassé par cette affaire qui prenait une imprévisible ampleur. « Je comprends, répétait-il, je comprends. » Malgré ses efforts compassionnels, son visage tout entier exprimait le contraire. « En fait, ce qui est arrivé est assez simple, si je puis dire. Ce qui est plus difficile à comprendre, c'est plutôt la façon dont votre père a organisé les choses, les détails. » C'était, paraît-il, dans les petites anfractuosités de la vie que se cachait le diable. « Aux alentours de 16 heures, dimanche dernier, votre père a sauté du toit d'un immeuble de huit étages situé avenue Charles de Fitte où il venait d'effectuer une visite chez un patient, au troisième. Il est mort sur le coup. Il est tombé sur un scooter garé sur le trottoir. Excusez-moi, mais votre père faisait des visites le dimanche ? » Il en faisait. Il en faisait pratiquement tous les jours de la semaine quand il était à Toulouse. Il n'aimait pas ces cabinets modernes entremêlant les praticiens jusqu'à y associer la dentisterie, et travaillait à l'ancienne, comme un médecin de famille. J'ajouterai que l'argent n'avait jamais été le moteur de sa pratique. « Il y a autre chose. Un élément qui a beaucoup troublé l'agent et que, peut-être, vous pourriez nous expliquer. Voilà : avant de sauter dans le vide, votre père a fait quelque chose que nous n'avions jamais vu auparavant. Il a scotché sa mâchoire à sa tête. Enfin, pas exactement, c'est difficile à expliquer. Avec un rouleau de scotch il a fait plusieurs fois le tour de sa tête et de sa mâchoire, vous voyez, de façon à ce qu'à la fin, sa mâchoire inférieure soit totalement collée à ses dents du dessus. Vous voyez ce que je veux dire ? » Et tout en me décrivant ce tableau de Jérôme Bosch, il mimait, avec sa main, le chemin parcouru par le scotch qui, indéfiniment, tournait en une orbite elliptique, du sommet de son crâne à la pointe de son menton. « Il y a eu autre chose. » On sentait que Langelier peinait et pénétrait à regret dans cet univers familial dont il ne soupçonnait pas jusque-là l'existence, et que chaque détail qu'il se devait de révéler constituait pour lui un fardeau embarrassant à livrer. « Il y a les lunettes. Vous avez compris comment votre père a scotché sa mâchoire. Eh bien, il a fait pareil avec ses lunettes. Je ne suis peut-être pas très clair. C'est difficile à expliquer. Je veux dire qu'il a scotché les branches autour de sa nuque. » Et là, la main se mit à décrire une nouvelle ellipse qui, cette fois, englobait l'arrière de la tête, les oreilles et le front. Langelier a caressé ses joues, regardé l'écran de son ordinateur, puis demandé : « Vous avez une idée de la raison pour laquelle il a pu faire ça ? Je ne parle pas du suicide, je pense au scotch. »

Je compris alors qu'Adrian Katrakilis, dans son genre et son domaine d'excentricité, était un véritable artiste. À tout le moins un petit maître capable d'embrouiller l'esprit de la maréchaussée et de laisser son fils pantelant, assis jambes repliées, mains croisées, visage incliné vers le sol. « Vous me direz ce que vous en pensez, mais nous, on s'est dit que le scotch autour du menton c'était peut-être pour l'empêcher de crier, et les lunettes, fixées aussi solidement, pour être certain de tout voir jusqu'à la fin. Mais bon… » Langelier avait émis son hypothèse à mots couverts, timidement, précautionneusement, comme un homme frileux qui entre dans de l'eau froide. Je répondis que oui, c'était une hypothèse, pourquoi pas, tout voir et ne pas crier.

« Je dois vous dire qu'on a choisi de transporter votre père à la morgue tel quel. On n'a pas enlevé le scotch. On a pensé que vous voudriez peut-être le voir comme il était au moment de sa mort. Si vous voulez que je fasse tout retirer, dites-le-moi. »

Si j'avais été le fils d'une autre famille, sans doute aurais-je demandé à Langelier de procéder et de nettoyer le cadavre. Mais j'étais l'enfant de cet homme. Il s'était donné du mal pour moi. Je devais regarder le cadavre en l'état. Respecter, en quelque sorte, le tableau et son cadre. C'était ma façon de l'honorer.

« Une dernière chose. Il me faudrait les numéros d'assurance de votre père et le nom de sa compagnie. Je dois les communiquer au propriétaire du scooter. »

Langelier m'accompagna pour quelques pas dans son couloir, puis sans rien dire s'arrêta et me regarda m'éloigner lentement comme on laisse filer un plomb de pêche au fond de l'eau. Des hommes et des femmes de tous âges couraient sur les berges du canal, ces anciens chemins de halage où les chevaux, jadis, tractaient les péniches. Ils me faisaient penser à des bêtes de somme des temps modernes tirant derrière eux la maigre espérance de vieillir vieux. Watson était resté à la maison. Il savait que j'allais revenir. Il m'avait accompagné jusqu'à la porte d'entrée avant de se coucher dans le couloir pour être certain de ne rien manquer de mon retour.

Trois jours plus tôt, ce chien se noyait dans les eaux de la baie de Miami. Aujourd'hui, le même dormait paisiblement sur le parquet doré d'un autre siècle, sur un autre continent, dans une maison hantée par le vide et l'absence. À cet instant j'aurais aimé l'avoir près de moi, pour courir avec lui parmi mes semblables, courir comme les enfants, sans arrière-pensée, juste pour respirer le vent de la vitesse et se sentir sauvage, animal, presque heureux, lâcher le fil de la mémoire et des regrets, lancer les bras comme des pistons, toucher à peine terre entre deux foulées, effleurer le sol, avoir parfois le sentiment de le quitter.

L'employé de la morgue était un Algérien qui aurait pu être à la retraite. Son visage fatigué remontait si loin dans le temps qu'on avait de la difficulté à lui attribuer un âge. Il s'exprimait d'une voix douce, pleine de prévenance. Il me fit entrer dans un bureau pour signer quelques papiers, puis dit : « Je suis au courant. La police m'a prévenu. Je n'ai rien enlevé, juste nettoyé un peu le visage de votre père. Quand j'ouvrirai le tiroir, tout à l'heure, je peux vous laisser seul, ou, si vous préférez, rester avec vous. » L'homme me remit une feuille de papier pliée en quatre que mon père avait glissée dans la poche de sa veste avant de sauter : « Je veux être incinéré. »

« Nous avons aussi sa serviette qui était restée sur le toit. » C'était bien elle. Cuir brun, trois larges soufflets, deux lanières de peau et un fermoir métallique à ressort qui claquait sèchement quand on l'actionnait, comme pour signifier le terme de la visite. À la maison, cette serviette, toujours posée sur la commode de l'entrée, signifiait que mon père était rentré, mais aussi qu'il pouvait repartir à tout moment. Pour l'avoir maintes fois fouillée lorsque j'étais enfant, je pouvais décrire les yeux fermés tous les trésors qu'il y avait à l'intérieur, reconnaître l'odeur de cette peau traversée par toutes les maladies, asséchée par les fièvres.

« Vous voulez que je reste ? » Je fis non de la tête, merci, ce n'était pas la peine. Je n'avais pas de peine. Il actionna le mécanisme d'ouverture du tiroir et le docteur, glissant dans le chuintement des roulements à billes, apparut. J'étais seul avec lui, mort, couché sur ce lit d'acier, et la seule chose qui me vint à l'esprit fut 77777.

Lorsque je découvris le visage de mon père, je revis les mains de Langelier s'appliquer à décrire ses ellipses. Le résultat était assez fidèle à la promesse. Le scotch, rougi par des infiltrations de sang, emmaillotait son visage, et ses lunettes, fixées par plusieurs passages de ruban adhésif, donnaient à ses traits et à sa peau par endroits tuméfiée, une expression à la fois grotesque et effrayante. Ce que je voyais était, je crois, la pire des choses qui se puisse imaginer. Un spectacle atroce. Que la police elle-même était incapable de décrire.

Je comprenais sans équivoque que, plus que tout, il avait voulu que notre dernière rencontre se déroule de cette façon, et que je le regarde avec son masque de pitre, de piètre père.

Dans l'avion, j'avais imaginé des scenarios infamants dont je le savais capable, avec toutes sortes de mises en scène embarrassantes. Mais ce tableau radical, un simple saut dans le vide et un rouleau de scotch, me confrontait de la manière la plus violente à une question qui m'avait hanté des années durant : qu'avais-je donc de commun avec cet homme-là ?

Et c'est alors que, pour la première fois depuis que le consulat de France m'avait appelé, j'éprouvai un sentiment. Il remontait de loin, de ma petite enfance et il m'inspirait une peine infinie, incommensurable, – qui n'avait qu'un lointain rapport avec mon père – une affliction doublée d'une brutale et profonde prise de conscience. Désormais j'étais seul sur cette terre et il me faudrait lutter contre les gènes qui l'avaient poussé à se balancer du huitième étage, grimé comme un évadé d'un lazaret.

Je remis le drap en place sur son visage. Ce qui était en dessous était effectivement bon à brûler. En se refermant, signifiant à sa façon la fin de la visite, le tiroir fit un « clac » presque identique à celui de la serviette du docteur.

Le vieil homme de l'entrée, qui savait ce que j'avais vu, prit ma main dans les siennes et dit simplement : « Rentrez bien. » Ces mots simples me firent du bien.

À la maison, assis devant la porte, Watson attendait. Ses yeux brillaient dans la lumière pâle de l'entrée. Il étouffa un léger jappement et se jeta contre moi pour me faire comprendre, une bonne fois pour toutes, que j'étais l'homme de sa vie.

Comme cela allait être le cas pendant de nombreuses années, nous avons pris notre repas ensemble. La présence du petit animal parvenait à détourner de mon esprit les visions malfaisantes qui le hantaient. La maison était tiède. Peu importait ce que nous avions vu ou vécu ici, elle nous accueillait, nous gardait à l'abri du froid, pour faire la seule chose que nous ambitionnions à cette heure, nous enfoncer au plus profond de la nuit, et dormir.

L'AMI DE MON PÈRE

Je sentais qu'il n'était pas vraiment satisfait de sa vente. Il avait bien essayé de m'inciter à prendre une formule d'obsèques plus statutaire, que ce fût sur le choix du corbillard, l'essence du bois du cercueil, la munificence des fleurs, ou les véhicules funéraires dévolus au transport des familles. Mais il n'y eut ni famille, ni véhicule, ni fleurs, seulement un break gris, basique, et à l'intérieur, ce qu'il fallait de planches de sapin pour emballer l'« œuvre ». « Même dans notre premier forfait, nous incluons un avis de décès gratuit dans la presse locale. »

Et voilà. Un chèque qui n'avait pas de prix pour tirer un trait sur cette histoire, brûler ce qui devait l'être.

« Après-demain, 24 décembre, cela vous convient ? Alors, 11 heures au crématorium. C'est la meilleure heure. » Je n'ai jamais compris ce que cet employé des pompes funèbres entendait par là. Y avait-il vraiment une « meilleure heure » pour être réduit en cendres ? Cela avait-il un rapport avec la qualité de la combustion, plus efficace en fin de matinée ? L'excellence du public, l'affluence, des gens plus disponibles aux alentours de midi ? Le flux lacrymal, rechargé par une bonne nuit de sommeil, davantage apte à charrier des flots de chagrin ?

On allait donc mettre mon père au four à « la meilleure

heure » pour un tarif de base. La mort, parfois, savait tenir son rang.

De retour à la maison, malgré le froid, j'ouvris en grand toutes les fenêtres pour laver les pièces à l'air neuf, dans une atmosphère abrasive à 6 ou 7 degrés. Watson se délectait de monter et dévaler le grand escalier de bois menant aux chambres et bureaux du premier étage. Il reniflait, inspectait et mémorisait les plans et dispositions de cette nouvelle demeure.

Quand j'ouvris les portes du garage, je vis que la Renault 4L et la DS avaient disparu. Seule la Triumph demeurait à sa place. Elle était un peu poussiéreuse et sous le capot, le compartiment de la batterie était vide. Sans voiture, je me demandais comment mon père s'était rendu à ses visites.

La maison est située dans le quartier du Busca, près du splendide Jardin des Plantes et à une rue du musée Georges-Labit, un bâtiment joyeux à l'architecture impérieusement mauresque, avec son jardin piqué de palmiers *Trachycarpus*, de fougères arborescentes, de bambous ambitieux où mon oncle Jules, amateur de curiosités, aimait admirer ce qui se faisait, disait-il, de plus beau en matière de collection française d'art oriental, incluant le Japon, la Chine, l'Asie du Sud-Est, l'Inde, le Tibet, le Népal ainsi que de très nombreux et magnifiques objets en provenance d'Égypte. Jules nous avait souvent raconté l'histoire de Georges Labit, ce riche voyageur qui vécut longtemps dans la haine et le conflit avec sa famille et mourut dans des circonstances aujourd'hui encore officiellement inexpliquées. En 1850, son père, Antoine, marchand d'envergure, possédait le plus important lieu de négoce de la ville, et le plus couru, modestement intitulé « La Maison

Universelle ». Georges, qui naquit en 1862, fit par la suite un bien piètre gestionnaire puisque sa famille tenta de mettre le jeune homme sous tutelle en raison de son style de vie bigarré et de ses dépenses extravagantes. Puis, les relations s'apaisant, Georges fut réintégré et réhabilité chez les Labit au point qu'il fut envoyé comme représentant officiel de la ville, aux obsèques du tsar Alexandre III. À son retour, le père eut l'idée lumineuse de mandater son fils et de l'engager comme une sorte d'aventurier-coursier afin de parcourir le monde à la recherche de splendeurs et de nouveautés susceptibles d'alimenter l'appétit vorace de « La Maison Universelle ». Et c'est ainsi que notre voisin d'un autre siècle entreprit de chevaucher l'Asie et le reste du monde pour l'apprécier, combler ses curiosités, et, accessoirement, rapporter à son bienfaiteur tout ce que contenait la variété des continents. Avec l'achat des objets d'art, il dépassait un peu le cadre de sa mission, mais Antoine ferma les yeux, d'autant que son fils allait bientôt s'assagir. N'avait-il pas décidé de prendre épouse ? Cependant, quelques jours avant les noces, le destin de l'explorateur fit un brusque pas de côté, l'abandonna à son sort et, nuitamment, Georges Labit fut assassiné à son domicile. Les circonstances de ce crime, comme aurait pu dire Langelier, n'avaient jamais vraiment été établies, mais la rumeur et la légende voulaient qu'il ait été poignardé à mort, et son sexe tranché *post mortem*, par le frère d'une maîtresse jalouse qui n'aurait pas supporté l'idée de son union future. Ainsi, à 37 ans, disparut à deux pas de chez nous, notre Amerigo Vespucci, au moment où « La Maison Universelle » lui avait confié les clés du monde entier.

Chaque enfance fabrique ses légendes. La mienne n'avait

pas eu à aller bien loin pour trouver sa matière. Elle n'avait eu qu'à se pencher à la fenêtre pour apercevoir les toits de ce palais mystérieux bâti au numéro 17 de la rue du Japon, aux confins des arts du Levant et des fortunes émasculées.

Je trouvai une batterie de 75 ampères dans un garage de la rue Saint-Michel et la ramenai à bout de bras jusqu'à la maison pour l'installer dans la Triumph. J'ignorais depuis quand cette voiture n'avait pas tourné. Elle toussota deux ou trois fois et s'ébroua sur quatre ou cinq cylindres pendant un moment avant que les six chambres de combustion acceptent de remplir leur office. L'odeur de la vieille essence et des émanations toxiques ranima les souvenirs du passé et je sortis la Triumph en marche arrière dans le jardin pour qu'elle se purge au grand air. J'avais constaté le manque de liquide de refroidissement, le faible niveau de l'huile et j'emmenai Watson avec moi pour faire les pleins et les vidanges « moteur-boîte-pont » dans une station-service située du côté du pont des Demoiselles. Là encore, le canal du Midi était à deux pas. En attendant la voiture, le chien et moi partîmes marcher sur les berges, là où nombre de péniches habitées s'arrimaient à l'année, enchâssées en été dans l'écrin ombré de l'immense voûte des platanes.

Les affaires des morts étaient toutes à leur place. Rien n'avait été déplacé. Ils auraient pu revenir et rien ne leur aurait manqué. Dans la chambre de mon grand-père Spyridon, les piles de livres posées sur le sol continuaient de grimper au mur et son bureau conservait son désordre savamment organisé. Les deux armoires symétriques se toisaient toujours et deux fauteuils d'un cuir ravagé, tournant le dos aux fenêtres, se désintéressaient de la couleur du ciel et du visiteur que j'étais. Et puis il y avait la relique, la pièce maîtresse, ce Saint-Suaire bolchevique dans son bocal de formol, dont nul ne devait s'approcher à plus de deux pas – on en comprendra plus loin la raison – et qui trônait au centre de la cheminée. Chez Jules, en revanche, c'était la minutie, le soin, l'ordre. Dans les penderies, les tiroirs, l'armoire à chaussures. Un bac à revues et une petite bibliothèque où les auteurs étaient archivés par ordre alphabétique. Sur son bureau, deux montres Jaeger-LeCoultre qu'il prétendait à mouvements complexes et remarquables. Le lit était fait et les draps donnaient l'impression d'avoir été repassés de frais, à l'image des taies d'oreillers. Celles de ma mère – mes parents faisaient chambre à part – n'étaient pas dans le même état de présentation, à l'image du rangement de la pièce, avec des affaires disséminées un peu partout, pas vraiment de désordre, mais la marque d'une certaine nonchalance. Même désinvolture sur ses tables de nuit et sur son bureau où les papiers et les dossiers s'entassaient au gré de leur ancienneté et ce, au détriment de leur importance. Sa penderie gardait encore son odeur mêlée à celle de ses flacons de parfum. Tous étaient de couleur plus ou moins ambrée et une petite étagère était consacrée à leur rangement. Les clés de son magasin étaient accrochées à la poignée de la porte.

La chambre de mon père était telle qu'il l'avait laissée dimanche, le lit défait.

Chacune des chambres des morts possédait sa salle de bain indépendante, à l'exception de celle de mes parents qui leur était commune. Luxe et privilège d'un autre siècle. Là aussi, serviettes, dentifrices, savons, brosses à dents, rasoir, shampooings, fils dentaires, tout était là, en attente de la résurrection des corps.

Cette visite du premier étage, ce retour dans le giron désert m'avait mis mal à l'aise. Restait le rez-de-chaussée, moins intime mais au confort tout aussi bourgeois, salon, salle à manger, cuisine et à gauche de l'entrée, attenant à la salle d'attente, le cabinet d'auscultation de mon père avec son odeur prégnante de désinfectant, d'alcool modifié, et de toutes ces substances qui diffusaient discrètement leurs effluves à peine perceptibles. Watson n'appréciait pas cet endroit, il préférait demeurer sur le seuil, refusant de s'aventurer plus loin dans cet antre de la saignée et du clystère.

La nuit fut très froide et au matin le jardin était blanchi de givre. J'avais presque oublié à quoi ressemblait l'hiver quand, au réveil, le seul fait d'approcher du simple vitrage donnait le frisson. Je pensais au bateau raguant mollement ses amarres, à Epifanio qui passait peut-être sa nuit à *quimbar et singar* en allant, de temps en temps piocher un peu d'inspiration derrière le magnétoscope, et à Barbosa qui depuis ce matin n'en finissait pas de me répéter : « Putain, trois semaines pour enterrer son père ? Vous avez de la chance, vous, les Français. »

En arrivant à 10 h 45 sur le parking du crématorium, je fus surpris par le nombre de voitures qui s'y étaient garées. Je n'avais pas osé emmener mon chien. Refusés dans les grands magasins, j'ignorais si ces animaux avaient leur place dans une enceinte funéraire. Une petite foule patientait devant l'entrée principale. Sans doute différentes familles attendant qu'on appelle leur défunt. Je me frayai un passage jusqu'à l'employé des pompes funèbres, qui m'accueillit sèchement d'un énigmatique : « Vous auriez pu me prévenir, nous aurions organisé les choses différemment. » Il me fit entrer dans une sorte de chapelle sans Dieu, sans croix, avec juste des chaises et des bancs. De grandes baies vitrées donnaient sur une forme abâtardie de jardin japonais, piqué de *pittosporum* et de pins parasols. Au milieu, sur des tréteaux dissimulés par un drap, la boîte de mon père et lui, à l'intérieur.

Quand à 11 heures précises le préposé se dirigea vers le parvis et dit « Katrakilis », la petite foule qui était à l'extérieur commença lentement à entrer dans la pièce. Il y avait là des gens de toutes sortes, âges et origines mêlées, portant le deuil et la tristesse sur leur visage. Il fallut un certain temps et beaucoup de patience au maître de cérémonie pour entasser autant de compassion dans un si petit espace. « Serrez-vous, mettez-vous dans l'angle, là, avancez, avancez. » La manœuvre dura un bon quart d'heure et se solda par un demi-succès puisque un certain nombre de personnes fut contraint de rester dehors, aux portes de l'hommage et aux prises avec l'hiver.

Ce que je voyais était inconcevable. Deux cents, deux cent cinquante personnes pour assister à la crémation d'un homme dépourvu de toute vie sociale et mondaine, réfractaire aux sollicitations et codes de communication. Ce pèlerinage apportait un démenti cinglant aux analyses que j'avais pu porter sur mon père.

Le préposé s'avança devant un pupitre, ajusta la hauteur du microphone : « Vous êtes ici pour rendre un dernier hommage au docteur Adrian Katrakilis. Je crois que son fils ici présent aimerait vous dire quelques mots. » Il s'écarta, tout en me désignant du plat de la main ainsi que l'on introduit sur scène un artiste de variété débutant. J'eus la sensation d'être soudain traversé par un courant électrique qui virevoltait autour de chacune de mes articulations. J'étais paralysé, rivé à mon siège, et il me fallut un temps infini que ne peuvent mesurer les montres avant de pouvoir faire un faible signe de la main, que chacun interpréta comme la marque d'une peine et d'un accablement filiaux. Ma langue obstruait ma bouche, j'avais l'impression de respirer au travers d'une paille plus fine que celles qu'utilisait Nervioso.

C'est alors qu'un homme d'une soixantaine d'années portant des gants de cuir et un manteau de belle laine s'approcha du micro et, les mains apposées de part et d'autre du lutrin, dit d'une voix assurée : « Je vais vous parler d'Adrian Katrakilis, un homme remarquable, un médecin exceptionnel, dévoué. Il était aussi le meilleur, le plus proche, le plus ancien de tous mes amis. »

Je dévisageai ce prêcheur que je n'avais jamais vu. Il ressemblait à l'acteur suédois Stellan Skarsgärd. Même lassitude de traits, même scepticisme dans l'œil. J'ignorais qui il était, de quelle galaxie il avait tout à coup surgi, mais je lui fus infiniment reconnaissant d'être arrivé au moment où l'air se refusait à mes poumons. Maintenant que j'étais parvenu à juguler ma panique, je l'écoutais parler, tenir des propos incroyablement touchants, bouleversants sur un homme merveilleux que j'aurais aimé connaître et qui semblait aimer les autres plus que sa propre chair. Autour de moi, je voyais des gens émus, et certains bouleversés au point de laisser aller leurs larmes.

Prenant conscience de l'emprise qu'il avait sur cette assemblée, Skarsgärd se mit à forcer la voix et le trait, dépeignant mon père comme une sorte de Louis Pasteur du Busca, mâtiné d'un Professeur Barnard qui aurait séjourné à Lambaréné. « Il ne comptait ni ses heures, ni ses journées qu'il prolongeait parfois jusqu'au milieu de la nuit si l'état de ses patients l'exigeait. Et quand sa propre famille fut frappée d'une cascade de malheurs, il demeura stoïque et continua d'assurer ses visites et d'apporter ses soins aux malades. Et si vous êtes si nombreux à l'accompagner une dernière fois en cette bien triste journée c'est la preuve qu'il n'a pas fait tout cela en vain. »

J'aurais alors aimé avoir le courage de me lever, de marcher vers le cercueil, d'en ouvrir le couvercle, et là, comme un fils fier du travail de son père, j'aurais présenté son œuvre maîtresse, son installation ultime, avec son visage de momie détraquée, ses bandelettes de scotch sanguinolentes agrippées à ses misérables lunettes et sa mâchoire gardant à jamais emprisonnée son dernier cri de terreur. Car il avait crié, sachez-le bien, comme tous les hommes qui tombent du huitième étage. Son hurlement avait dû commencer dès le sixième en allant crescendo jusqu'à l'écrasement. Les choses se déroulent toujours ainsi. L'effroi s'accroît à mesure que le sol se rapproche. Alors, vous comprendrez maintenant qu'il va falloir aller vous faire soigner ailleurs. Ailleurs que chez cet homme « complexe et remarquable » qui, quelques heures après la mort par asphyxie de sa femme adorée, entra en cuisine pour se préparer des pommes sautées avec une tranche de foie de veau.

« Nous allons maintenant nous recueillir une dernière fois avant que je n'enclenche le mécanisme de l'envoi. » Le préposé avait repris les commandes de la cérémonie, respectant le silence de la salle, tout en surveillant l'heure et l'arrivée sur le parvis d'une nouvelle famille.

Quatre employés entrèrent par une porte dérobée, installèrent le cercueil sur une sorte de tapis roulant qui se mit aussitôt en route, emportant mon père vers les rampes de brûleurs qui le dévorèrent « en l'état ».

La foule se leva et, comme en Italie à la fin des obsèques d'un membre influent de la Ndrangheta, se mit à applaudir. Cette ovation avait pour moi un sens bien différent. Elle signifiait que tout était fini. *Ite, missa est*, comme disaient les catholiques. Je dois reconnaître que je ressentis quelque chose à ce moment-là. Une joie fugace qui pouvait se rapprocher de ce que j'éprouvais lorsque je marquais un point au Jaï-alaï de Miami. Un point ce n'était rien, mais selon les règles de notre jeu, la moindre victoire, même éphémère, permettait de rester en vie jusqu'au tour suivant.

Le chauffage de la voiture délivrait un souffle d'air tiède aussitôt refroidi par les jointures approximatives de l'armature de capote. J'avais l'impression que l'humidité de l'hiver s'infiltrait sous mes vêtements et je n'avais qu'une hâte, quitter ce cimetière, traverser cette ville et retrouver le silence et la chaleur de la maison. Ma vie d'avant me manquait. Mon sport, mon gant d'osier, le bateau, les planchers aérés de la Karmann, l'océan. Je crois qu'à cette époque le montant global de mes avoirs en Floride – engins flottants et automobiles inclus – ne devait pas excéder les 6 ou 7 000 dollars. Bientôt, conformément à la loi, j'allais hériter d'un patrimoine conséquent. Je craignais que cette transmission fût plus difficile à assumer qu'il n'y paraissait.

Pour l'instant, au volant de la Triumph je constatais simplement qu'à Toulouse comme à Miami, les courants d'air, fussent-ils tropicaux ou glacials, s'infiltraient inexorablement dans mes voitures. De temps en temps, à la maison, le téléphone sonnait. C'était un patient qui appelait pour un rendez-vous ou une visite. Il se heurtait au répondeur de mon père qui lui demandait de laisser nom, adresse et lui promettait de rappeler dès que possible. J'effaçai toutes ces demandes insatisfaites et, sur une bande redevenue vierge, j'enregistrais un bref message : « Le docteur Katrakilis est décédé le dimanche 20 décembre. Son cabinet est fermé. » Je trouvais ce faire-part remarquablement concis et efficace.

La journée glissa lentement vers le soir, dans une atonie qui s'accordait avec ma lassitude. La crémation avait mis un terme à une série de situations et de visions éprouvantes. Je ne ressentais plus grand-chose, ni colère, ni le moindre chagrin, seulement une grande fatigue qui lissait mon esprit de toutes ses aspérités. Il me semblait que tout était réglé, terminé. Que l'on avait nettoyé le jardin et brûlé les mauvais bois de l'hiver.

Les cendres de mon père reposaient dans une urne que j'avais rangée dans la bibliothèque de son bureau. À ce que j'estimais être sa place. Presque au travail. Le chien était couché contre moi sur le canapé. Le silence de la maison donnait à nos deux existences l'illusion d'un caractère vraiment exceptionnel. Nous étions seuls au monde en cette nuit de Noël.

Les jours qui suivirent furent encore plus froids. Durant le week-end, la neige se mit à tomber. De gros flocons comme on en voit toujours dans les films canadiens, à la fois légers et dodus, bâtis pour le cumul et l'amoncellement, conçus pour rendre la vie difficile et fatiguer les toitures. En quelques heures le jardin blanchit et les branches surprises par un tel surpoids ployèrent, donnant soudain aux arbres une allure efflanquée. Le chien découvrit ce nouveau terrain de jeu, courut en tous sens, sauta bon nombre d'obstacles imaginaires avant de se rouler comme un gros maki dans la poudreuse glaciale. Ensuite, sa véritable nature reprit le dessus et en bon chien de Floride, grelottant, il vint se réchauffer au pied de l'un des radiateurs du salon.

Quelqu'un sonna au portillon du jardin. Je n'attendais aucune visite.

« Je suis désolé de te déranger. J'aurais dû t'appeler d'abord, mais j'ai préféré venir. Il fallait que je te parle. Je suis le docteur Zigby, Jean Zigby, l'ami de ton père. »

Skarsgärd. L'homme au manteau de laine. L'inventeur de Saint-Barnard. L'hagiographe de l'artiste. « Il demeura stoïque et continua d'assurer ses visites… » Ce type surgi d'on ne sait où m'avait sauvé la vie en empoignant le pupitre.

Il me parut moins grand, moins impressionnant aussi que lors de la cérémonie. La neige surlignait son manteau d'épaulettes blanches un peu ridicules et se confondait avec la couleur de ses cheveux aussi disciplinés que le jour de son allocution.

À la façon d'un gros animal il s'ébroua dans l'entrée, se débarrassa de son manteau et l'accrocha dans la penderie comme s'il vivait ici depuis toujours. D'un geste d'hôte, il m'invita à passer au salon, s'installa dans le fauteuil sur lequel il avait ses habitudes et après avoir cligné plusieurs fois des yeux, il continua de me tutoyer : « Tu ne me reconnais sans doute pas. Et pourtant, je t'ai vu tout petit. Tu venais à peine de naître. Ensuite – tu devais alors avoir trois ou quatre ans – tu es venu chez moi à plusieurs reprises, durant les week-ends, avec ton père. Tu adorais jouer avec ma femme et ma fille aînée. Tu ne t'en souviens pas, tu étais trop jeune. Aujourd'hui tu as fait ta vie. Tu es médecin et je sais que tu joues à la chistera en Amérique. Cela, d'ailleurs, chagrinait beaucoup ton père. Mais au fond de lui, je sais qu'il respectait ton choix. C'est pour ça que j'aurais aimé que tu prennes la parole, l'autre jour. Et ton père aussi. Mais j'ai vu que tu ne pouvais pas. Alors j'ai fait ça à ta place. Trop de gens attendaient qu'on leur parle de l'homme exceptionnel que fut ton père. »

J'avais l'impression de revivre la crémation. Le prêche, la débauche des qualificatifs. Et surtout cette prodigieuse distorsion entre l'homélie et la piteuse réalité. On me tordait le cou pour m'obliger à faire une génuflexion devant le gisant aux adhésifs. Et comme si tout cela ne suffisait pas, au même moment la radio du salon diffusait *Cantus in Memoriam Benjamin Britten* d'Arvo Pärt, l'une des pièces les plus bouleversantes qui se puisse entendre. Skarsgärd connaissait-il ce morceau, l'avait-il reconnu, s'appuyait-il sur tant de beauté pour me faire ployer et tomber à genoux ?

« Je sais que ces derniers temps vos relations s'étaient un peu distendues, il m'avait parlé de cet éloignement et il en souffrait. Surtout depuis la mort de ta maman qui, comme tu le sais, l'avait dévasté. »

Le foie de veau. Les pommes sautées. « Tu comptes la garder, la Triumph ? » Et le lendemain matin, faisant sienne la devise de Raymond Bussières dans *Casque d'or* – « Boulot-boulot, menuise-menuise » – il ouvrait son cabinet de consultation à l'heure réglementaire.

« J'aurais beaucoup de choses à te raconter sur ton père. Des histoires qui remontent à notre jeunesse. On se connaît depuis notre première année de médecine. Il savait tout de ma vie comme moi de la sienne. Tu sais comment il m'avait surnommé ? "Modigliani". Parce que je redessinais les visages. Il méprisait la chirurgie esthétique et ne comprenait pas qu'après dix années d'études je perde mon temps à gonfler des seins, raboter des nez ou camoufler des rides. Parfois, quand il regardait mes clichés "avant-après", il hochait la tête et me répétait cette phrase qui n'avait aucun sens mais que j'adorais entendre : "La médecine a perdu son âme depuis que pour prendre la fièvre on n'utilise plus de thermomètre anal." »

Le chien ne perdait pas un mot de ce monologue scandé dans une langue étrangère. Le récitant enchaînait ses anecdotes, toujours enluminées par la partition maintenant déclinante de Pärt. Je n'avais pas encore prononcé une parole. Skarsgärd occupait toute la place, envahissait l'espace disponible, étalait les pans de sa mémoire biaisée.

« Durant son service militaire ton père était médecin-major. Il travaillait simultanément dans deux services de l'hôpital militaire. Son affectation principale le liait à l'unité de médecine générale. Mais plusieurs fois par semaine il exerçait aussi à l'étage de psychiatrie. Et l'été, il y faisait ses visites vêtu seulement de sa blouse et d'un slip. Les malades qui avaient presque le même âge que lui adoraient le voir déambuler comme ça, et le sifflaient comme on encourage une stripteaseuse. C'était incroyable de voir ça. Et personne ne lui a jamais rien dit. Il faut dire qu'à l'époque on auscultait les malades avec une cigarette allumée posée sur le rebord du cendrier. »

Mon père, psychiatre. Pendant quelque temps ce type avait donc décrété en toute impunité qui était fou, qui ne l'était pas, il avait fouillé, trié, coupé, tranché dans le cerveau de pauvres bougres aliénés par l'institution militaire. Et contraints d'enfiler une camisole de force sur ordre d'un soignant en slip, ou d'avaler du Largactil ou de l'Halopéridol prescrit par un major en culotte, obsédé par les thermomètres au mercure utilisés exclusivement en mode anal.

« Malgré ses petites fantaisies, il fallait voir la gentillesse avec laquelle ton père prenait soin de ces soldats. Quelle que soit la gravité du mal ou de la blessure, il était toujours disponible pour ne serait-ce que changer un pansement ou régler le débit d'une perfusion. Il faisait souvent le travail des infirmiers. Enfin, tout ça est bien loin. »

Il marqua une pause, regarda Watson et dit : « C'est ton chien ? Tu l'as ramené avec toi d'Amérique ? Incroyable, il faut que tu tiennes à lui. Moi je n'aime pas les chiens. Je n'ai jamais aimé ça. Il reste un peu de scotch de ton père ? Il le range là, dans ce placard. »

Je restai un instant interloqué par la demande jusqu'à ce que je comprenne qu'il voulait simplement un verre de whisky.

« Tu n'en prends pas ? Il est excellent. Écoute, je suis ravi qu'on ait pu bavarder un peu. J'aurais aimé te parler l'autre jour mais je crois que ce n'était pas l'endroit pour ça. Dis-moi, tu es marié en Amérique ? Tu vis avec quelqu'un ? Parce que je me demandais si tu avais envisagé de succéder à ton père ? C'est un bon cabinet, tu sais, rempli du matin au soir. Tu n'as qu'à changer la plaque et t'asseoir derrière le bureau. En plus, j'en connais un qui en serait heureux. »

Au premier verre succéda un second, puis un troisième à la dose corsée. Au quatrième, je posai ma première question au docteur. Pourquoi, depuis que j'étais enfant, avais-je entendu, plusieurs fois par semaine, mon père se mettre soudain à hurler, « *strofinaccio* » sans la moindre raison ? La seule traduction de ce mot dans le dictionnaire était « bout de chiffon ». « Ton père criait "bout de chiffon" plusieurs fois par semaine ? » Il éclata d'un long rire d'ivrogne, hoquetant et finissant par s'enliser dans une toux grasseyante. « Bout de chiffon ! Nom de Dieu ! C'est bien lui ça ! » La quinte l'emportait maintenant sur l'hilarité, des gouttelettes perlaient sur sa lèvre supérieure, il me tendit le bras comme un miséreux quête sa pièce, et d'un fond de gorge dit : « Sers-m'en un autre. »

Il y eut donc le cinquième. Le sixième l'emmena bien loin du but de sa visite. Le scotch paternel le faisait dériver sur des territoires plus intimes où il était surtout question de ses démêlés avec son gynécée familial.

« Ma fille – elle a à peu près ton âge – vit avec un type qui vient de l'Est. Je sais même pas si c'est un Polonais ou un Yougoslave. Peut-être un Hongrois. Je ne comprends rien à ce qu'il dit. L'autre jour il m'agaçait tellement que j'ai demandé à ma fille comment elle pouvait vivre avec un type pareil. Elle m'a répondu que j'étais odieux, et ajouté que de toute façon je ne pouvais pas comprendre, parce que tout avait toujours été facile pour moi. Et là, figure-toi, que je me suis entendu lui répondre un truc complètement dingue qui m'est venu comme ça à l'esprit : “Ma fille, détrompe-toi, baiser ta mère fut souvent un sport de combat.” Je ne sais pas pourquoi j'ai dit ça. Ma fille était interloquée. D'un autre coté… ma femme n'est pas quelqu'un de facile non plus. Elle a des lubies. Tiens, par exemple, elle me demande souvent de faire le rat. Elle trouve que j'imite bien la tête du rat. Je te raconte ça parce que tu es le fils d'Adrian, mais ça reste entre nous. Donc nous voilà partis, moi, les incisives en avant, la lèvre retroussée, faisant le rongeur, et elle, aux anges, répétant continue, encore, continue. Ça peut durer dix minutes. Ensuite on dort, et, au milieu de la nuit, je la sens se tortiller dans le lit à côté de moi. J'allume et je la trouve cul par-dessus tête, tordue dans tous les sens, je lui demande ce qu'elle fabrique et là, toute à son machin, tu sais ce qu'elle me répond ? “Du yoga, ça s'appelle une prise d'orteil.” »

Ainsi se termina le sixième verre. Zigby marqua une pause et me demanda : « Il neige encore ? »

Il se redressa sur ses jambes, fit un écart mal assuré pour éviter le chien et s'en alla directement à la penderie chercher ses affaires. Quand il reparut, il était prêt à se frayer un passage au milieu de l'hiver. « Tu vois, ça m'a fait un grand plaisir de te rencontrer. Et je suis certain que, de là où il est, ton père a dû être sacrément heureux de nous voir ensemble. Il faut que tu viennes dîner un soir à la maison. Téléphone-moi. Je suis dans l'annuaire. Jean Zigby, c'est pas compliqué. »

La porte s'ouvrit sur un matelas de neige immaculé. Le docteur descendit les marches du perron comme un homme qui avoisine les 2,5 grammes d'alcool dans le sang, traversa l'allée du jardin, regarda un instant vers le ciel tous ces flocons qui se posaient sur lui, puis au moment de passer le portillon, il me mit la main sur l'épaule : « Tu es un bon petit. »

LES GALLIENI

Quelque chose me disait qu'il fallait repartir à Miami au plus vite, signer les papiers qui devaient l'être, fermer les volets de la maison, débrancher les cosses de batterie de la Triumph et retrouver Hialeah Drive, chez moi, ce petit appartement sans curiosités que l'on aurait pu facilement enchâsser tout entier dans l'une des chambres du haut, et qui contenait à peu près tout ce que j'aimais – mon grand gant d'osier, mon deuxième grand gant d'osier et mon troisième grand gant d'osier. Tous provenaient de la maison Gonzalez, fondée en 1887 et sise à Anglet, près de Bayonne. Leur marque, Onena, signifie en basque « le meilleur ». Et Onena fournissait effectivement ce qui se faisait de mieux sur le circuit. Ces chisteras étaient des outils de précision, des petites merveilles d'ingéniosité dont le secret de fabrication tenait dans une membrure de châtaignier, mais surtout dans la mémoire des mains initiées qui tressaient le canal d'osier courbe d'où jailliraient, le jour venu, des pelotes magiques capables de redresser des peuples, de Guernica à Bridgeport. Mes gants *made in* Gonzalez étaient à l'autre bout des mers et pourtant, d'ici, je pouvais déjà les sentir au bout de mes doigts.

Mes doigts, qui n'avaient plus l'habitude du froid, répugnaient à dégager la neige des appuis de fenêtres. Et à la moindre occasion ils recherchaient auprès des radiateurs de fonte la douce tiédeur hivernale de Floride.

Si je m'étais aussi facilement expatrié, si j'avais aussi aisément sauté d'une vie à l'autre, c'est que contrairement à la plupart des Basques que je connaissais et avec lesquels je jouais, je n'avais jamais ressenti aucun sentiment d'appartenance. Ni de patrie, ni de tribu, ni de terroir. L'histoire, la composition, la nature, la texture même de ma famille avait, je pense, grandement contribué à ce sentiment de culture hors-sol, de croissance dépourvues de tuteur et d'identité. Les Katrakilis, comme d'ailleurs les Gallieni, semblaient être apparus *ex nihilo*.

Notre histoire commençait avec mon grand-père, en URSS, aux alentours des années 40, et il était hors de question d'espérer remonter plus avant dans le temps. Pas un mot sur ma grand-mère, son prénom, la ville où elle habitait, sa vie ou sa mort, comme si Spyridon voulait laisser croire qu'il s'était reproduit par scissiparité. Pas davantage d'explication sur la consonance hellène de notre nom, les raisons de notre établissement à Moscou ou sur les circonstances d'éventuelles migrations familiales. Même vide et identique silence en ce qui concernait les Gallieni. Dans les conversations, le frère et la sœur apparaissaient à Toulouse aux alentours de ma date de naissance et, à les entendre, nul ne les avait réellement enfantés et élevés. C'est à peine s'ils évoquaient parfois quelques souvenirs d'études communes. Le magasin ? Il avait effectivement appartenu à leurs parents. Que faisaient leurs parents ? Ils travaillaient au magasin. Puis ils étaient morts. Fin de l'histoire. Ce couple n'avait pas de prénom, la femme et l'homme réparaient des montres. Ils étaient dépourvus d'existence, privés de la moindre réalité. Ils s'appelaient juste

« les parents » quand leurs enfants s'égaraient à les mentionner. Et pour mon père, ces horlogers diaphanes étaient « les Gallieni ». Nulle date, ni mention, ni cause de leur disparition. Un matin ils étaient allés au travail, et au soir, à l'image de ma grand-mère paternelle, ils avaient disparu.

Notre vie commune se résuma donc à l'acceptation silencieuse de ces artefacts généalogiques, ces ascendances tacitement détourées, ces fantômes qui n'erraient nulle part et ne hantaient personne.

Pour m'implanter parmi les miens, je n'ai pu bénéficier que de courtes racines de surface, des radicelles que nous partagions tous – seule communauté de bien et de destin qui nous unissait – et avec lesquelles nous devions, en tout cas, nous débrouiller. Et fort logiquement, dans ce contexte de fragilité, chacun était trop occupé à s'arrimer au monde pour s'occuper du destin et de l'avenir des autres.

Je n'ai jamais été capable de dire si l'existence que menait ma mère la rendait heureuse. Si la présence constante de son frère Jules était pour elle un fardeau ou une bénédiction. Si mon père l'avait jamais aimée et si elle éprouvait une quelconque affection pour lui. Anna était une femme totalement illisible. Elle pouvait s'appuyer sur sa beauté, même si elle s'appliquait à la contenir dans une austérité à l'écart de toute coquetterie. Son allure était volontaire, sa vêture appropriée à l'existence d'une femme qui travaille. Mon père avait un jour dit d'elle qu'elle était une « Latine », l'œil couleur d'ombre, le nez tracé à la plume, « à la mémoire rancunière ». J'ignore à quoi il faisait référence ce jour-là, mais je n'ai jamais remarqué que ma mère fût d'une nature particulièrement vindicative. Bien au contraire. N'était-ce pas mon père qui, à la suite d'une de ces disputes qui émaillent le quotidien des familles, avait décidé de ne plus adresser la parole à ma mère ? J'étais alors encore très jeune, mais je me souviens parfaitement de ce mutisme angoissant dans lequel s'était enfermé Adrian. Les repas étaient sinistres, les soirées inquiétantes, d'autant que ma mère, loin de se résoudre à cet état de fait, continuait de s'adresser à mon père comme si de rien n'était. Autant parler à un mort. Pour échapper à ce climat délétère, je comblais les silences de mon père en murmurant mentalement mon hapax, « *digmus paradigmus* », formule connue de moi seul, dépourvue de signification, mais capable, dans l'esprit d'un enfant, de conjurer les sorts contraires et de pacifier la cohabitation entre un père cinglé et une mère latine.

Les jours et les semaines passèrent, puis les mois. Il en fallut onze exactement pour que le docteur Katrakilis reprenne langue avec son épouse et le fil de la conversation là où il l'avait laissée. Comme si cela allait de soi, nul ne releva le miracle, et la vie réintégra chacun dans le parcours commun. Quant à moi, je gardais mes *digmus paradigmus* en alerte sur le bout de la langue.

Je crois avoir aimé ma mère, instinctivement, comme tous les enfants. Mais je dois reconnaître qu'elle ne m'a laissé que peu de place pour exprimer ce sentiment. D'aussi loin que remonte ma mémoire d'enfant, j'ai la sensation qu'elle s'arrangeait toujours pour esquiver mes manifestations d'affection ou y mettre un terme. La serrer dans mes bras était une gageure, l'embrasser, un espoir sans cesse remis. Je crois qu'Anna ne m'aimait pas, tout simplement. J'étais pour elle une équation sans solution, un fardeau qui s'ajoutait à d'autres, invisibles, mais dont je devinais la présence. Avec les années, je m'habituai à l'idée que ma mère ne m'aimait pas. À ce que nos relations soient ce qu'elles étaient, non-conflictuelles la plupart du temps, bienveillantes souvent, mais totalement dépourvues de ces moments d'amour où l'enfant, enveloppé, retrouve, comme un petit animal, l'odeur native du giron, le parfum de son origine et savoure cet instant où, dans le noir de la nuit, le souffle apaisant de la bouche maternelle lui répète qu'elle est là, pour toujours, à le garder près d'elle et le veiller.

Quand je repense à notre vie de l'époque je ne vois qu'un barnum pathogène. Des volailles sans tête courant dans tous les sens dans une maison bien trop grande pour elles. Quatre adultes et un enfant, livrés à eux-mêmes, ignorant tout de l'existence, expérimentant pour leur propre compte les zones du bien et du mal, s'infligeant la douleur, découvrant le plaisir au gré de leurs explorations. Je me suis souvent demandé quel était le rôle véritable d'Anna dans un univers tel que le nôtre. Le temps passant, il m'est apparu qu'elle avait choisi très tôt, pour des raisons qui tenaient peut-être à son histoire familiale, d'être une sœur plutôt qu'une épouse ou une mère. Le couple qu'elle formait avec Jules, sous le toit de son mari et avec son assentiment – de février 1956 au mois de mai 1981 –, revêtait, pour un étranger à la famille, un caractère pour le moins singulier et équivoque. Je peux dire que du simple point de vue de l'observateur extérieur, ces deux-là ont vécu chez nous comme mari et femme. Quand ils regardaient la télévision, c'était côte à côte sur le canapé, reléguant mon père sur le petit fauteuil club. Quand Jules s'assoupissait et que sa tête s'inclinait, ma mère lui offrait le creux de son épaule ou le gras de son bras. À table, ils conversaient entre eux, vantant les mécanismes à complication des montres Vacheron Constantin ou l'usinage parfait des nouveaux remontoirs Piaget. Ils s'embrassaient avant d'aller dormir, mais aussi au lever, pour les départs en vacances, les fêtes de fin d'année, les anniversaires, se rendaient ensemble au travail et en revenaient le cœur léger. Ils affichaient à peu près tous les attributs d'un couple heureux et nous donnaient parfois le sentiment d'habiter chez eux. Baisaient-ils ensemble ? Je n'en ai pas la moindre idée, mais j'avoue que cette hypothèse embarrassante m'a quelquefois traversé l'esprit. Mon père avait-il également envisagé cette éventualité ? En tout cas il n'en laissa jamais rien paraître et se montra jusqu'à la fin d'une grande équanimité envers son beau-frère.

Jules partait avec nous en vacances. Ma mère, qui n'avait en général que fort peu d'exigences, avait obtenu de mon père une sorte de concession à perpétuité dans le Pays basque. Une maison, toujours la même, située sur les hauteurs de la baie de Txingudi, et que nous louâmes vingt-cinq années durant pour toutes les vacances que le calendrier catholico-républicain nous accordait. C'est ici, grâce à ma mère, que, pour moi, tout a commencé, ici que j'ai vu mes premières parties de pelote à main nue sur le fronton d'Hendaye-ville où je pouvais me rendre à pied. Ici, les premiers échanges de joko garbi, puis de grand chistera. Il y avait des rencontres en nocturne, mais aussi l'après-midi, et dans ma tête d'enfant les balles claquaient nuit et jour, même durant mon sommeil. Quand la place était libre, face au mur, j'allais m'essayer à ce jeu, dans un coin, me brisant la main sur les pelotes au noyau de buis. Je savais que la douleur n'était qu'une étape, et que le métier finirait bien par rentrer par toutes ces petites plaies. Je n'étais pas basque, j'avais des mains blanches de fils de médecin gavé de Frubiose et élevé près du chauffage central. C'est peut-être pour ça qu'un jour j'ai décidé de les glisser dans un gant. D'abord un petit gant, celui de joko garbi qui veut dire « le jeu pur ». C'était du grand chistera avec un outil plus petit – 56 cm de long, 12 de large et 8 de profondeur – mais aussi des échanges plus rapides, plus vifs et surtout l'interdiction de conserver la pelote dans l'osier, la frappe devant être concomitante de la réception. Interdits aussi les « kask kask », ces bruits de rebonds dans le nid d'osier, assimilés à autant d'impuretés polluant la pureté du geste.

Ces petits règlements tarabiscotés, légèrement absurdes, comme tous les interdits corsetant la plupart des sports, agissaient sur moi comme autant d'injections vitaminiques.

En rentrant à la maison, chaque soir, j'avais le privilège de voir la baie à tous les stades des marées ; la Bidassoa et, presque à portée de chistera, Irun, Fontarrabie, et au-dessus, montagne pelée où j'aurais aimé naître, le Jaizkibel, d'où l'on dominait l'océan et toutes les terres en éternelle villégiature.

Le chemin du retour vers la maison agissait sur moi comme un véritable massage mental, il lissait ma fatigue et me donnait le goût de revenir le lendemain et tous les jours qui suivraient pour jouer à ce jeu de balle si singulier qui m'éloignait de la laitance familiale et m'apprenait à me méfier des « kask kask ».

Vacances après vacances, le geste s'allongeait, et avec lui la frappe, la force, l'ambition. Je grandissais, mon gant aussi. Mon périmètre d'action devenait plus large et je disputais des tournois juniors de cesta punta sur les places libres de la région. J'allais voir les vedettes de l'époque à Saint-Jean-de-Luz, Bidart et jusqu'au Jaï-alaï de Guernica, en Espagne, avec ses soixante mètres d'aire de jeu et son nid de professionnels.

Je devais cela à Anna Gallieni. À sa passion pour le Pays basque, à sa patience de m'avoir convoyé de villages en frontons, encouragé quand les roustes succédaient aux roustes, équipé de la tête aux pieds, soutenu alors que mon père pensait que « j'avais mieux à faire ».

Elle m'avait déposé en ce monde et ensuite introduit dans cet univers des pelotaris qui n'avait pas l'heur de plaire aux Katrakilis. Cette manière de m'implanter, de tenter de m'enraciner dans ce pays qu'elle aimait, était, peut-être, sa façon silencieuse de me dire qu'elle m'aimait et que je devais continuer d'envoyer des balles tous azimuts, ne serait-ce que pour emmerder le Grec.

C'est ainsi que ma mère dénommait mon père quand il se laissait aller à quelques poussées de mâle alpha et qu'alors, elle l'exécrait.

Le Pays basque était pour lui une véritable purge, une punition climatique, un chemin de croix qui ne le menait jamais très loin puisqu'il préférait se cantonner dans le périmètre clôturé de sa location, à l'abri des ondées, des embruns, des marées et d'éventuelles bourrasques d'*enbata*, ce vent réputé rendre fou. Si cela n'avait tenu qu'à lui, à l'heure qu'il était et en ce mois d'été, nous aurions été en Provence quelque part entre Manosque et Forcalquier, à transpirer familialement au cœur d'un Luberon botoxé. Mais le Grec n'arriva jamais à ses fins et il dut, jusqu'à la mort de ma mère, en juillet 1981, endurer et supporter les douceurs émollientes des Pyrénées-Atlantiques et du Guipuzcoa.

Outre leur passion pour les montres, le frère et la sœur partageaient cette attirance pour les rives de la Bidassoa et le Pays basque. À force de les parcourir avec sa moto, une Ariel 1000 Square Four de 1959, mon oncle appelait tous les pompistes et les garagistes de la région par leurs prénoms. L'Ariel était une machine infernale dont les aléas n'entamaient jamais la patience de Jules qui enfourchait sa moto chaque année, au départ de Toulouse, avec le même enthousiasme, sachant qu'elle le mènerait en Euskal Herria, d'Ainhoa à Sare, de Getaria à Zarautz, avec des haltes à la pâtisserie Oiarzun de Saint-Sébastien pour manger des *ochos*.

Parfois le frère et la sœur partaient en balade ensemble, parfois, Jules m'emmenait sur le tansad – qui n'en était d'ailleurs pas un – de sa moto et nous allions au gré des opportunités voir un match de pelote à Itxassou, l'entrée des navires dans la passe d'Anglet, acheter pour ma mère du piment à Espelette, ou assister au retour de ce qu'il restait de thoniers dans le port de Saint-Jean-de-Luz. Avec l'Ariel, les choses pouvaient prendre plus de temps que prévu, mais vu le carnet d'adresse exceptionnel de mon oncle, nous trouvions toujours quelqu'un pour nous tirer d'affaire, quand il ne ramenait pas lui-même la machine à la raison.

J'aimais me retrouver dans ce pays en compagnie de Jules. Lui, chez nous si réservé, « l'hébergé à titre gratuit » comme aimait, dans ses mauvais jours, plaisanter le Grec, s'épanouissait dans les climats frontaliers et vivait pleinement ces journées de bonheur, de soleil ou de pluie, nageant un peu partout, grignotant dans tous les bons endroits, convoitant parfois la femme d'autrui quand l'occasion lui paraissait trop belle. Il y avait vraiment deux Jules : le Basque bondissant,

« toujours un pied en l'air » comme disait ma mère, gai, drôle, énergique, et l'horloger de Saint-Michel, gris, éteint, presque soumis à la presse des jours, rivé à ses viroles, vérifiant les arbres de barillets et ses roues de couronnes, remplaçant une chaussée ou une roue de minuterie jusqu'à ce que sonne l'heure de la fermeture et du retour au bercail.

Je n'ai jamais compris les choix de mon oncle, ni les raisons qui l'ont amené à passer toute sa vie avec sa sœur sous le toit du docteur, même si ce dernier le traitait avec bienveillance la plupart du temps. À Hendaye, Jules possédait en lui quelque chose qui ne demandait qu'à jaillir, un bonheur de vivre, là, affleurant à la surface, dont on pouvait deviner le bouillonnement, une envie d'enfourcher la Square Four douze mois sur douze, avec ce qu'il fallait de linge propre pour ne pas effrayer les dames, sans montre au poignet, mais pourvu d'un appétit de chien errant, prêt à dévorer les meilleurs morceaux de l'existence, sans oublier les poissons à la plancha, les calamars *in su tinta* et ce fromage porteur des senteurs de toute la montagne au printemps.

Pourquoi tout cela n'est-il jamais vraiment arrivé ? Pourquoi est-il mort sans avoir véritablement vécu ?

Un jour que nous étions assis au sommet du Jaizkibel, après avoir convaincu l'Ariel de grimper toute la route de la corniche, qui prend sa source à Fontarrabie avant de basculer tout en haut de la montagne sur le port de Pasajes, je vis mon oncle pleurer. Il regardait ce paysage qu'il aurait pu, comme moi, dessiner les yeux fermés, et des larmes coulaient en ligne droite sur son visage statufié. Je n'osai pas, à ce moment-là, lui poser la moindre question, interférer de quelque façon avec ce qui était en train de se passer. Je serais, aujourd'hui, bien incapable de dire combien de temps dura cette scène. Je me souviens simplement que, tout en essuyant ses joues, à un moment, il a dit : « Il ne faut jamais se tromper de vie. Il n'existe pas de marche arrière. » Cette phrase apparemment anodine ne m'a pourtant jamais quitté. Elle m'a accompagné toute mon existence. Je crois même que c'est elle qui, par avion de ligne, m'a envoyé un jour à Miami.

Craignant peut-être d'avoir exagérément troublé la réflexion d'un adolescent, Jules se reprit immédiatement et comme il en avait parfois l'habitude, bascula brutalement d'un monde dans un autre en me demandant : « Sais-tu quelle question on nous pose depuis toujours à ta mère et à moi ? "Êtes-vous parents avec le maréchal Joseph Gallieni ?" Tout ça parce qu'il est né à Saint-Béat, en Haute-Garonne. Il ne se passe pas une semaine au magasin sans qu'un client nous interroge à ce sujet. À l'école c'était pareil. Chaque année un professeur, au moins, nous prenait discrètement à part pour nous demander si nous avions un rapport avec "ce célèbre soldat". C'est insensé. Est-ce qu'on demande à tous les types qui s'appellent Pasteur s'ils ont un lien de parenté avec Louis ? »

Les larmes avaient disparu. Il ne s'était rien passé. Nous avions repris le cours de nos vacances. En plein soleil, côte à côte, au sommet d'une montagne espagnole. D'une saillie, Joseph Gallieni, maréchal à titre posthume, avait habilement chassé les nuages.

Sans doute Jules était-il un homme translucide, traversé par la lumière sans jamais la capter, mais il fut le seul membre de ma famille à tenter de m'ouvrir au monde ou aux autres, à me sortir de l'enclos katrakilien, à m'extraire de ce bain amniotique dans lequel nous marinions tous à longueur d'année.

Il me fit découvrir l'Asie, les fougères arborescentes, le destin tordu de Georges, notre voisin, il m'apprit les rudiments de la mécanique, me dévoila le ventre cranté des montres, m'emmena écouter des concerts, voir des films et ce qui se faisait de mieux en matière de rugby.

À la maison, toutes les semaines il recevait le *Midi Olympique* qu'il lisait de la première à la dernière ligne. Deux autres magazines lui étaient également livrés, *La Revue des montres*, une revue professionnelle, et surtout les *Cahiers du cinéma*, revue enchanteresse qu'il chérissait et classait par numéro dans la partie noble de sa bibliothèque. Il aimait me parler de Scorsese, Cimino, Mankiewicz, Coppola et du deuxième film de Malick, *Les Moissons du ciel*. Il me racontait comment ce dernier, étudiant à Harvard et Oxford, à la suite d'une simple dispute avec ses maîtres, avait refusé de soutenir sa thèse savamment étayée sur les conceptions du monde de Kierkegaard, Heidegger et Wittgenstein. « Rien que ça ! », ajoutait-il.

Ses échappées de lecture, ses cures basques motorisées, ses rendez-vous avec le sport, étaient autant de minces trouées de lumière dans la masse nuageuse persistante de ses journées. Je croyais que ces fenêtres sur la vie suffisaient à aérer son esprit, à supporter le carcan de notre famille. J'avais tort. Il mit fin à tout cela en mai 1981, la veille de l'élection de François Mitterrand.

Qu'était-il arrivé que nous n'ayons vu venir, et qui avait provoqué la fission du noyau de son monde que nous pensions si calme et résigné ? Un appel téléphonique dont nul ne connaîtra jamais la teneur. En milieu de semaine, quelqu'un avait téléphoné à mon oncle, le soir, à l'heure du repas. Il s'était levé d'un bond, impatient, comme un enfant autorisé à quitter la table et qui attend une bonne nouvelle. La conversation n'avait pas été longue et c'est une sorte de vieil animal fourbu qui était revenu prendre sa place. Son visage était livide, ses yeux flottaient dans leurs orbites et ses mains, de part et d'autre de son assiette, serraient le bord de la table à la façon d'un passager dont l'avion est en train de s'écraser. Ma mère prit son bras et lui demanda si ça allait. Mon père répéta la question en accentuant l'intonation interrogative. Jules nous regarda les uns après les autres comme s'il nous découvrait pour la première fois, recula légèrement sa chaise de la table, et vomit devant nous, le buste bien droit, régurgitant à plusieurs reprises, sans effort, n'esquissant aucun geste, ne nous opposant qu'un regard effaré, incrédule et navré.

À peine remis de son malaise, Jules revint à la salle à manger nettoyer les reliefs de son indisposition et il y avait quelque chose d'infiniment triste à le voir s'affairer ainsi avec fébrilité pour tout remettre en ordre, gommer, gratter la salissure. Je lui proposai un peu d'aide, mais cela n'eut pour conséquence que de l'embarrasser davantage.

Le lendemain mon oncle se rendit à son travail avec ma mère, comme à l'accoutumée, et chacun pensa que le carcan des habitudes avait eu raison de ce moment d'égarement. Seul mon père sembla préoccupé et interrogea son beau-frère à plusieurs reprises sur son état de santé et d'éventuels soucis qu'il aurait pu alléger. C'était là le bon côté du Grec, dont la devise professionnelle, par gros temps, aurait pu être empruntée à celle du pharmacien Lofthouse, créateur des Fisherman's Friend : « *Never be without a friend.* »

Que s'était-il donc dit durant cet appel pour bouleverser à ce point la vie d'un homme ? Qui en était l'auteur ? Ma mère, plus tard, nous avoua que son frère avait toujours refusé de répondre à cette question, s'efforçant de vivre les derniers moments qui lui restaient comme si rien n'était arrivé, comme s'il n'y avait rien eu à nettoyer. Et tandis qu'en ces jours précédant l'élection présidentielle la fièvre politique courbaturait le pays, électrisait les tensions, fouettait les espérances, un homme, barricadé en lui-même, verrouillé à double tour, se concentrait pour remettre en ordre la marche du temps avec ses précelles. Tous ses gestes étaient doux, précis, minutieux, comptés, comme le temps qui lui restait à vivre.

Les derniers jours de mon oncle demeurent une énigme tout autant qu'un tourment. Le calme de ses mains et, sous l'épiderme, la lave qui bouillonnait. Je l'imaginais jusqu'au vendredi soir broder son savoir aux côtés de ma mère, trier les pièces microscopiques, les saisir du bout des pinces, les emboîter, réaliser les derniers assemblages, sertir, remonter le boîtier, positionner les aiguilles, le remontoir, verrouiller le cliquet du ressort, voir le pignon mordre dans la couronne et l'heure, soudain rattraper le temps perdu. C'est cela qu'il avait fait pendant trois jours, et rien d'autre, alors qu'il savait que la fin du monde approchait. Il s'est contenté de faire ce qu'on lui avait appris, ce à quoi il s'était astreint pendant trois décennies.

Le vendredi soir, nous avons pris notre dîner comme d'habitude, dans cette indifférence où chacun suivait son idée. Les journées étaient plus longues et à la nuit tombée, le jardin déployait toutes ses odeurs printanières. La vie grouillait partout dans les plantes qui ruisselaient de sève. Mon oncle, lui, prit sa place coutumière sur le canapé et s'assoupit lentement contre ma mère devant la télévision.

Le samedi 9 mai fut sa dernière journée. Je ne me souviens pas de son déroulé. Aucun détail marquant. Comme si mon oncle avait déjà disparu. Je sais que le soir nous avons dîné avec lui et qu'aux alentours de 23 heures il a pris son blouson de moto. Il est sorti après avoir embrassé ma mère comme il le faisait depuis qu'ils étaient sur terre lorsqu'ils se séparaient pour une paire d'heures. Nul ne remarqua que son casque était resté dans l'entrée. L'Ariel mobilisa ses 1 000 centimètres cubes, l'équipage franchit le portail et dans un grognement familier s'éloigna sur l'avenue des Demoiselles.

Selon les dépositions des témoins, mon oncle lança sa machine à pleine vitesse sur les allées Fréderic-Mistral et sans freiner alla percuter de plein fouet le mur et les grilles d'enceinte du jardin du Grand Rond situés en bout de piste, à une vitesse que les experts estimeraient supérieure à 130 km/h.

Cela se déroula à moins de cinq cents mètres de la maison.

Jules manqua de quelques heures l'élection du premier président socialiste de la Ve République, mais son suicide, dans notre famille, éclipsa totalement le sacre de François Mitterrand.

Le premier des Gallieni à disparaître le fit donc à l'âge de 50 ans le 9 mai 1981. Ma mère, d'un an son aînée, le rejoignit deux mois plus tard.

Privée de cette autre part d'elle-même, Anna ne tenta pas de redevenir une épouse ou une mère. Elle ne le pouvait simplement pas. Elle retourna au magasin et continua à travailler sans rien laisser paraître. Mais sur l'établi l'ombre portée de son frère occupait toute la place. Alors, en cette nuit d'été que rien ne prédisposait à être la dernière, elle ferma les portes du garage, s'assit à la place du passager, et fit démarrer le moteur de la Triumph.

Elle ne laissa aucun mot d'adieu. Ni à son mari, ni à son fils. Un suicide à bas bruit, presque imperceptible, comme celui de son frère Jules. Tous deux avaient perdu la vie à bord d'un véhicule de conception anglaise. Dérogeant à leurs habitudes, la moto et la voiture avaient démarré au quart de tour. Le bail du magasin fut résilié par mon père et l'enseigne abandonnée au service des Encombrants. Elle fut inhumée près de son frère dans un petit village du Lauragais, sans que l'on ne m'expliquât jamais le choix de cet endroit.

Je me souviens que, ce jour-là, le goudron bouilli par la chaleur de l'été chuintait sous les pneus.

La famille rétrécissait à vue d'œil. Il me restait encore deux années pour terminer mes études de médecine et autant de temps pour perfectionner l'éjection et la précision de mes pelotes.

Même à 25 ans il m'arrivait, le soir, de répéter *digmus paradigmus* jusqu'à ce que le sommeil m'emporte. Et parfois mon oncle se glissait dans ma mémoire pour me rappeler que dans la vie, il n'existait pas de marche arrière.

LE QUAGGA

Mon père, posé sur l'étagère, dormait dans son urne et moi, assis à son bureau, j'évaluais du regard l'étendue de son territoire. Ce cabinet de consultation ressemblait à un caveau. Il hébergeait la maladie et un mort. Dehors la neige fondait en un goutte-à-goutte glacial.

Avec le décalage horaire, j'espérais surprendre Epifanio chez lui avant qu'il se rende à la salle de massage du Jaï-alaï. Quand il entendit ma voix, il ne put s'empêcher de me lancer un roboratif « *Hola qué tal, cabrón ?* » avant de se raviser très vite et d'adopter un ton qu'il croyait davantage de circonstance. « Comment ça va, mon ami ? Tu as fini les choses avec ton père ? » Dans son langage, les « choses » étaient un terme générique pour désigner à peu près tout et n'importe quoi. Le compte-rendu succinct que je lui fis sembla le contenter. « Il faut que je te dise une chose qui ne va pas te plaire. Barbosa, ce fils de pute, il t'a déjà remplacé. Il a pris un Urugayen. Un type qui vient de Bridgeport et qui ressemble à un radis. *Un rábano, amigo, un rábano.* Tu me vois jouer avec un radis ? Une *quiniela* avec un radis ? Et tu sais comment il s'appelle ? Oscar Maxi-Quinley. Tu peux croire ça ? Maxi-Quinley, on dirait le nom d'un hamburger. Tu me connais, j'ai commencé à le chambrer là-dessus et ce con l'a mal pris. Tu sais ce qu'il m'a répondu ? Un truc qu'on m'avait jamais dit : "*Te voy a meter más largo que Australia.*" Je vais t'en mettre une plus grosse que l'Australie. Ça doit être une expression de chez lui. » Je pouvais presque sentir l'odeur de moisi des vestiaires, la transpiration des types en train de s'étirer, entendre les rafales de balles s'écraser sur le mur, la rumeur du public, le crissement strident des semelles de caoutchouc, le souffle des bourrasques d'*enbata* au moment où les chisteras giflaient la moiteur de l'air. Nervioso me ramenait chez moi, sa voix faisait office de long-courrier. « Demain matin, j'irai voir si ton bateau est encore là, l'ami, et au retour je m'arrêterai chez toi. En attendant je vais m'occuper de Maxi-Quinley et le renvoyer aussi sec à Montevideo avec un petit détour par l'Australie. » Avant de quitter Epifanio je lui dis qu'ici il neigeait et que mon jardin était tout blanc. Il marqua un long temps de silence et je sentis que son esprit s'affairait à imaginer les contours et la luminosité d'un paysage qui lui était si peu familier. Puis, lorsqu'il eut terminé son agencement, il dit d'une voix presque enfantine : « *Puta madre, esto debe ser muy bello.* »

Les trois jours qui suivirent furent consacrés aux démarches administratives, passations de pouvoirs, transferts, annulations, mutations, résiliations qui sont autant de gourmandises pour les compagnies qui nous raccordent aux facilités modernes. Quand le notaire du docteur me reçut pour m'expliquer les arcanes d'une procédure de succession, toute la neige avait disparu et la ville avait retrouvé ses couleurs originelles.

De la maison, je n'occupais que les parties communes et ma chambre. Les autres pièces appartenaient aux morts et je respectais leur territoire. Le chien avait assimilé les limites de ces frontières. Étrangement, il avait lui-même délimité le périmètre de son monde et cette portion suffisait à son bonheur. L'autre plaisir de mon chien consistait, le soir, à regarder la télévision auprès de moi. Il prenait place sur le canapé, regardant fixement l'écran comme un humain, avec cette attention soutenue qui donnait à croire qu'il suivait le fil des images et des conversations. Et si d'aventure un animal, de quelque race qu'il fût, apparaissait à l'image, il redressait ses petites oreilles de chien sauvé des eaux et émettait alors une sorte de bruit de gorge dont on ne pouvait deviner s'il témoignait d'une forme de tristesse ou au contraire du bonheur de reconnaître une forme de vie qui lui rappelait la sienne.

Je ne dirai jamais assez combien la compagnie et la présence de ce chien me furent précieuses durant cette période où la mémoire des morts allait et venait au gré des flux et des marées de la mémoire. Parfois je lui parlais et il me donnait le sentiment de tout comprendre, de la plus insignifiante de mes remarques à mes questionnements d'humain et le bien-fondé de mes doutes sur la solidité de mon patrimoine génétique.

Comme toujours la réponse arriva par le canal le plus inattendu et le moins approprié. En fin d'après-midi on sonna au portillon du jardin. Zigby apparut, nimbé de ce halo de contentement de lui-même qui le caractérisait. « Comment vas-tu mon garçon, tu as l'air en forme, tu tiens le coup ? C'est bien. Je passais dans le quartier et figure-toi que j'ai entendu la bouteille de scotch de ton père me supplier de venir prendre un verre. » Zigby était pour moi le sociétaire d'un autre temps, le résident d'un autre monde aux codes inintelligibles, aux manières embarrassantes. Il surgissait dans ma vie comme propulsé par un truquage de cinéma. Il faisait le vide autour de lui, aspirait toutes les molécules d'oxygène de la pièce, ne me concédant qu'une maigre part de ce butin pour l'écouter en respirant *a minima.* « Sers-m'en un double, j'ai une soif de dromadaire. Tu as réfléchi à prendre la suite de ton père, tout ça ? Remarque, tu es encore jeune, rien ne presse. Mais si tu faisais ça rapidement, tu pourrais récupérer toute – je dis bien toute – la clientèle de ton père. Et crois-moi, ce n'est pas rien. Si tu traînes trop, ces gens vont s'éparpiller à droite à gauche chez des confrères. Plus tu attendras, plus le stock de malades que t'a légué ton père s'amenuisera. »

La dose de whisky n'avait pas résisté à cette première observation. La suite se référait à une question que j'avais en tête depuis longtemps et que la mort de mon père venait de réactiver brutalement, mais dont je n'avais parlé à personne, et surtout pas à Zigby-Skarsgärd, ce chirurgien esthétique alcoolique et intrusif. Avait-il le pouvoir de lire dans les pensées ? Toujours est-il qu'en cette fin d'après-midi, il prit une lampée de ce scotch paternel qu'il estimait lui revenir de droit. « J'imagine qu'avec tout ce qui vient d'arriver et tous les malheurs qui se sont déroulés ici, il ne doit pas être facile d'habiter dans cette maison ni de s'appeler Katrakilis. Quatre parents, quatre suicidés. Ça fait réfléchir. Tu as dû te demander s'il fallait y voir une détermination génétique, si ta propre double hélice était porteuse d'un chromosome fautif. Ma réponse est qu'on n'en sait foutre rien et que la vie est faite pour être vécue. Par exemple, je pense que tu devrais te mettre à boire. Quelques verres par-ci par-là, ça n'a jamais fait de mal à personne et ça lubrifie les neurones. Sois gentil, sers-m'en un autre. »

Contrairement aux affirmations aussi péremptoires que rassurantes de Zigby, divers travaux démontraient qu'il pouvait exister des facteurs de vulnérabilité suicidaire héréditaires. Des gènes raccordés à la sérotonine, ce messager chimique qui a pour fonction de contrôler la réactivité du système nerveux, pouvaient être en cause. D'autres étaient aussi soupçonnés, mais eux sont impliqués dans la production d'une hormone, le cortisol, ou de facteurs neurotrophiques, cette famille de protéines responsables de la croissance et du développement des neurones.

Ces recherches avaient au moins le mérite d'entrouvrir une porte, même si à ma connaissance il n'existait à ce jour aucune étude sur des familles entières de suicidés comme la nôtre, se transmettant, génération après génération, des doubles hélices voilées, dégradées, abâtardies, soit par manque de sérotonine soit par excès de cortisol, à moins que ce ne fût l'inverse.

Existait-il d'ailleurs d'autres lignées semblables à la mienne, capables de réaliser de pareils scores, de garantir une dégénérescence simultanée sur deux branches séparées, l'une glanée en URSS, l'autre près de la Garonne, et d'accroître sans cesse la qualité et l'inventivité de ses performances ? Car chez les miens, au-delà d'une commune quête macabre, il ne fallait pas oublier le facteur spectaculaire mis en œuvre par chacun d'eux pour sublimer sa fin.

« Si on s'en tient à cette histoire de génétique, au départ, il y a ton grand-père. Avant, on ne sait pas. Mais ton grand-père, on connaît : c'était un homme assez particulier. Toi, tu l'as toujours bien aimé, mais moi qui l'ai bien connu avant que tu sois né, je peux te dire que c'était un drôle de pistolet. Son histoire avec Staline et tout le reste je me suis toujours demandé si c'était vrai. Et pour un communiste qui fuyait l'URSS, trouver autant d'argent du jour au lendemain pour acheter cette maison, dans ce quartier... on n'a jamais trop su comment il avait fait. En fait, Spyridon, c'était un type comme ça, quelqu'un avec qui on ne savait pas trop sur quel pied danser. Tiens, pendant les seize années où il a envoyé ton père en France, chez des amis à lui, personne n'a jamais su ce qu'il avait trafiqué à Moscou. Tu te rends compte, Adrian est né en 1929, ton grand-père l'a expédié à Toulouse en 34, et il ne l'a rejoint qu'au lendemain de la mort de Staline en 1953. Entre-temps, le silence. Pas un mot sur sa femme. On ne saura jamais si elle est morte, partie, a disparue ou a été déportée. C'est pas normal. Donne-m'en un autre, deux doigts. Je pense que ce type était un menteur, un menteur-né. Un dissimulateur. Un manipulateur. Il avait quelque part en lui un gène stalinien. »

À mesure que je passais du temps en compagnie de Zigby, je prenais conscience de l'extravagance de ce que j'étais en train de vivre depuis mon retour dans cette ville. Nul ne pouvait douter que cet homme eût la moindre conscience de l'indécence de sa position. Je ne connaissais rien de lui, et il était là, revenant à la charge comme un taurillon têtu, vidant les bouteilles familiales, saccageant la vie de mon grand-père, instillant en moi des poisons à effet retard, des doutes malicieux.

« Tu sais pourquoi tu t'appelles Katrakilis, toi ? Comment un Grec – Grec ou autre chose, on n'en sait rien – atterrit à Moscou et devient l'un des médecins du dictateur ? Tu y crois, toi, à la fameuse lamelle ? Tu l'as vue seulement ? C'est comme son histoire du quagga... »

Zigby avait le droit d'être un con luminescent, un redresseur d'oreille, un raboteur de naseau, il pouvait se comporter comme un ivrogne de rue, trébucher sur sa mémoire, se moucher sur les morts, mais toucher au quagga, il ne fallait pas. Je me levai, lui enlevai son verre des mains et dis simplement : « Dehors. » Sentant qu'il se passait quelque chose, Watson s'approcha de moi et comprit en un instant que l'invité ci-devant venait de se muer en un intrus indésirable. Le chirurgien mit un peu plus de temps que le chien pour assimiler les nouveaux paramètres de notre situation. Puis, lorsque la brume de ses réflexions se redéposa dans son esprit, il se leva à son tour, enfila son pardessus et quitta la scène comme un acteur piteux recalé à une audition.

Pour moi c'est avec le quagga que commence l'histoire de mon grand-père. C'est en 1963 qu'il me raconta pour la première fois la mort de cette bête. J'avais 7 ans et rien de ce que j'avais entendu jusque-là, ni de ce que j'entendrais par la suite, ne me ferait prendre conscience de ce qu'était l'infini territoire de la tristesse et le prix d'une vie.

Mon grand-père parlait peu, mais la texture de sa voix alliée à son accent faisait que ses mots restaient cloués en moi. L'histoire du quagga naissait dans la nuit des temps, dans les immenses plaines d'Afrique du Sud. L'*equus quagga quagga* était un zèbre différent des autres. On le distinguait à sa robe d'un beige clair, seulement rayée de noir à l'encolure et à l'avant du corps, l'arrière demeurant immaculé. C'était un animal de toute beauté, esthétique, fluide, appartenant à une espèce aussi prospère que paisible et qui n'avait d'autre ambition que de courir dans la savane et de brouter sur des terres sans limites. Ce projet conçu pour tendre vers l'éternité connut cependant une fin brutale et prématurée lorsque les colons, chasseurs effrénés, s'entichèrent de ces troupeaux au point de vouloir tous les transformer en trophée de salon ou en descente de lit. En moins de temps qu'il n'en faut pour voir grandir un homme, tous les quaggas d'Afrique furent massacrés, à part quelques spécimens qui furent épargnés, capturés et disséminés çà et là dans les principaux zoos d'Europe. Et c'est à ce moment de leur détention que Spyridon se glissa dans l'histoire. « Mon meilleur ami, à Moscou, s'appelait Lazar. C'était un vieux vétérinaire, beaucoup plus âgé que moi, qui avait travaillé un peu partout en Europe. Il était spécialisé dans les soins aux animaux sauvages enfermés dans les zoos. Il voyageait beaucoup, parlait sept langues, plus celle de toutes les bêtes qu'il soignait. Un jour, il reçut un appel du zoo d'Amsterdam qui portait, je crois, le nom prétentieux de "Natura Artis Magistra". Leur quagga était malade. Des fièvres et des tremblements. Des diarrhées. Conserver un tel animal à une pareille latitude était, en soi, une totale aberration et sans doute la première cause de la pathologie de la bête. Lazar se rendit aux Pays-Bas. Il découvrit un zèbre qui ne se nourrissait plus, très affaibli et dont le pelage se détachait comme du vieux plâtre. Le directeur de l'établissement se précipita vers mon ami en le conjurant de guérir la bête qui était une pièce majeure du zoo mais aussi, comme on pouvait le lire sur la brochure publicitaire, "l'unique survivant de son espèce sur la Terre", ce qui le rendait encore plus attractif. Il insistait pour que le quagga soit sur pied deux jours plus tard lors de la venue d'un hôte célèbre, un prince de quelque chose qui passait par là et voulait absolument voir la bête. »

Lorsque son ami Lazar revint dans l'enclos de l'animal, il lui arriva une chose qui jusque-là ne s'était jamais produite dans l'exercice de son métier. Il se mit à pleurer. Le zèbre était couché sur le flanc et respirait avec difficulté. Soumis à la présence des hommes, broyé par la captivité, usé par les injonctions d'un climat inapproprié bien plus que par les atteintes de l'âge, l'animal se laissait lentement dévorer par la maladie. Chez lui, autrefois, parmi les siens, peut-être aurait-il pu fuir, galoper droit devant lui et échapper à une fin de chien de salon. Mais son destin en avait décidé autrement, et le coureur de savane était sur le point de s'éteindre sur la terre battue d'Amsterdam. Le vétérinaire lui administra toutes les médecines et les reconstituants que pouvait fournir la pharmacopée de l'époque. Il le fit recouvrir de plusieurs couvertures et resta auprès de lui toute la journée et une partie de la nuit. « Tu sais, dans ces moments d'intimité avec la bête, au couchant, quand plus personne ne rôdait autour de l'enclos, Lazar m'avoua qu'il était parfois envahi par l'effroi et la panique. Il était désemparé face à ce qui était en train de se passer devant lui. Il savait déjà qu'il serait le dernier homme à voir un quagga vivant, mais également mort l'instant d'après. Il savait qu'il devrait être présent à ce moment-là. Pour lui, il était inconcevable qu'une espèce disparaisse ainsi sous ses yeux, qu'il n'y ait plus un seul autre quagga vivant sur cette Terre. Un demi-siècle auparavant ils étaient des centaines de milliers. Tu te rends compte de ce qu'il a pu ressentir et combien cette mort unique a pu compter pour lui ? Cette nuit-là, Lazar dormit quelques heures sur une banquette de la salle de soins du zoo. Au petit matin, avant l'arrivée des employés, il revint auprès du quagga dont l'état avait empiré. Ses yeux semblaient s'échapper de leur orbite et de temps en temps l'animal esquissait une contraction des pattes arrière. Lazar me raconta alors qu'il s'était accroupi, avait posé sa main sur l'encolure de l'animal et qu'ensuite, après l'avoir caressé, il s'était mis à lui parler. Encore et encore. À lui dire des choses simples, apaisantes, qu'il aurait pu murmurer à un homme dans un moment pareil. Ils sont restés comme ça longtemps, l'un près de l'autre, tous deux conscients de ce qui allait advenir. Lorsque le premier gardien entra dans l'enclos, le dernier des quaggas venait de mourir et Lazar, son ultime rempart à ses côtés, flattait encore son encolure tiède. Tu vois l'image ? Tu imagines la scène ? Mon ami venait de voir partir entre ses mains le dernier représentant d'une espèce animale massacrée par des chasseurs. Cela s'est passé au matin du 12 août 1883 au "Natura Artis Magistra". Chaque fois que je repense à cette histoire, ma poitrine se serre. »

Durant notre vie commune, Spyridon raconta, devant moi, une bonne dizaine de fois la fin de ce zèbre singulier, et jamais il ne dévia des rails de la vérité qu'on lui avait confiée. Pour autant il fallait bien admettre que les médisances du chirurgien Zigby n'étaient pas sans fondement. Mon grand-père fut un menteur, sans aucun doute, un dissimulateur, assurément, un communiste qui s'arrangeait avec l'Histoire et peut-être avec celle de son employeur, au Kremlin, évidemment. Mais son existence, avec ses failles, ses manques, ses fautes, sa fameuse lamelle, ses potins soviétiques, et jusqu'à son suicide, lui donnait un moelleux romanesque que l'avaleur de malt ne posséderait jamais.

Si la mort de mon grand-père survint bien chez nous en 1974, déterminer avec précision sa date de naissance est une entreprise hasardeuse dans laquelle aucun des Katrakilis n'a véritablement eu le désir de se lancer. Selon les documentations moscovites officielles, mais le sont-elles vraiment, Spyridon

Katrakilis serait le fils de Lev Katrakilis et d'Irina Privalova. Il aurait vu le jour en 1899 ou 1900 selon les papiers russes auxquels on se réfère. Il devient ensuite médecin et presque simultanément, en 1929, apparaît Adrian, mon père. Spyridon n'est apparemment pas marié et cet enfant naît administrativement sans mère ce qui, même pour un médecin, constitue une performance biologique hors norme. L'étrange prénom de mon grand-père, outrageusement hellène, est avant tout celui du coureur grec vainqueur du marathon des premiers Jeux olympiques de l'ère moderne, disputés à Athènes en 1896.

Le 10 avril de cette année-là, le berger Spyridon s'aligne au départ de la première course mythique reliant la ville de Marathon à Athènes. Pour cette renaissance des Jeux, ils sont dix-sept à prétendre l'emporter et couvrir les 42,195 kilomètres de la course, sous les feux d'un soleil d'après-midi puisque l'épreuve se déroule entre 14 et 18 heures.

C'est un Français qui prend la tête. Il s'appelle Lermusiaux. Il ignore tout des coups de chaleur et autres facéties que le climat local réserve aux organismes. Très vite, déshydraté, grillé, il se délite et rentre dans le rang. Aux deux tiers de la course, les jeux semblent faits. Grâce à une allure régulière appropriée au climat, l'Australien Flack a distancé tous ses poursuivants. Il fait partie des grands favoris puisque quelques jours auparavant il a déjà remporté les épreuves du 800 et du 1 500 mètres. À ce stade du périple, l'affaire est quasiment entendue. C'est alors que le berger Spyridon, aussi frais que s'il sortait de la douche, surgit d'on ne sait où, fond sur Flack, le dépasse à toutes jambes et remporte la course la plus convoitée de l'histoire. Le monde entier célèbre le berger, la Grèce lui tresse des couronnes, grave des stèles, rebaptise des stades et des places publiques. Il est le héros antique que le pays espérait depuis si longtemps. Seulement, toute médaille, même en or, ayant son revers, les spécialistes commencent à se pencher sur les détails de cette course, au parcours bien peu surveillé en ces temps de balbutiements des Olympiades. Quelques commissaires suffisamment attentifs s'étonnent de l'état de fraîcheur du vainqueur, de ses « disparitions » à certains endroits de la course et surtout de sa réapparition dans les derniers kilomètres lorsqu'il a dévoré tout cru le pauvre Flack.

De doutes en suspicions légitimes, l'affaire prit de l'ampleur et l'on commença par refuser de donner au vainqueur les primes qui lui étaient promises, à savoir 100 kilos de chocolat, un bœuf et un million de drachmes. Les commissaires, sans pour autant pouvoir en apporter la preuve, conclurent que le berger, qui connaissait bien la région, avait d'abord emprunté des raccourcis et des chemins de traverse, avant de se glisser dans une charrette à foin tirée par un cheval pour accomplir ainsi une bonne partie de la route, et jaillir de sa cachette pour fondre sur un Australien recuit qui, lui, en était déjà à son quarantième kilomètre.

Après bien des controverses et des atermoiements, le comité olympique décida de fermer les yeux et de laisser sa victoire à Spyridon. Les Grecs firent comme si rien ne s'était passé. Seul Flack eut pendant quelque temps du mal à trouver le sommeil.

Quand, plus tard, j'eus connaissance de cette histoire, je trouvai qu'elle s'accordait parfaitement avec l'idée que je me faisais de mon grand-père. Intelligent, roublard, filou, menteur certes, mais difficile à confondre, et surtout n'avouant jamais. Celui ou celle qui lui avait attribué un tel prénom à la naissance avait déjà jugé la véritable nature de la bête. Trois ou quatre années après l'exploit du maître d'Athènes, athlète incomplet, son fils spirituel voyait donc le jour à Moscou, bien décidé à aller aussi loin que son homonyme, fût-ce à pied, en charrette ou préférablement en ZIS, voiture des maîtres de l'État.

Selon l'organe officiel – c'est ainsi que je nommais la voix de mon grand-père –, il commença dans les années 30 une carrière de médecin militaire et gravit rapidement à la fois les échelons de l'armée et ceux de la Faculté. C'est en raison de ce travail très accaparant qu'il décida en 1934 d'envoyer son fils Adrian à Toulouse, chez des Russes blancs réputés amis de la famille et auxquels il versa une pension pour les frais de logement et d'éducation de mon père, les témoignages d'affection étant laissés à la discrétion de l'hébergeant. Comment Spyridon réussit-il à faire sortir son fils d'URSS, et par quels moyens parvint-il à payer une telle rente autant d'années ? D'où provenait l'argent qui servit à acquérir notre maison en 1953 ? Toutes les questions qu'avait soulevées Zigby étaient légitimes. Mais mon père comme Spyridon avait fait le choix de laisser le passé en sommeil.

D'hôpitaux en réunions du Parti, Spyridon prit donc du galon et se forgea une réputation médicale assez flatteuse au point d'être nommé au Kremlin à l'un des huit ou dix postes de médecins qu'hébergeait alors le bâtiment. Ce qu'il fit dans cette enceinte durant toutes ces années demeure flou. Il prétendit être l'un des médecins de Staline et l'avoir accompagné dans ses datchas de Kountsevo, près de Moscou ou de Sotchi, au bord de la mer Noire ou encore en Abkhazie, près de la rivière Kholodnaia qui coulait à proximité de sa maison. Comme pour attester de son intimité avec Djougachvili, il nous racontait que l'homme était assez petit et se faisait confectionner partout un mobilier approprié à sa taille, notamment des lits qui ne soient pas trop longs. Il vivait la nuit, se couchait à l'aube et s'éveillait l'après-midi. Ses collaborateurs et son personnel devaient se plier à son mode de vie balnéaire et à ses horaires décalés. Il voyait tout, surveillait tout, contrôlait tout et possédait une mémoire terrifiante. Il était un tyran mais loin d'être un ignare comme on l'a souvent dépeint. Il se faisait projeter tous les films américains, vouait un véritable culte à Spencer Tracy et Clark Gable. Il connaissait la littérature, appréciait la musique. Il se rendait souvent incognito à des concerts et à des ballets. Il avait vu vingt fois *Le Lac des cygnes*. C'était quelqu'un d'insaisissable, indestructible. Le seul moment où il a perdu pied, c'est après le suicide de sa seconde femme, Nadejda Allilouïeva-Staline. Elle s'était donné la mort en se tirant une balle dans le cœur après une dispute avec son mari.

La disparition de cette femme qu'il n'avait au demeurant jamais connue, revenait souvent dans les évocations de mon grand-père. Elle y occupait une place prépondérante. Il tournait autour de cette mort que son maître, sans doute dévasté comme le rapporte la légende, mais en tout cas truqueur compulsif, réécrivit en attribuant le décès de son épouse à une maladie foudroyante.

Mon grand-père nous racontait aussi que Staline souffrait de paranoïa comme bon nombre de tyrans et se méfiait de tous ses médecins, qu'il soupçonnait de vouloir l'empoisonner, influencés par certains membres des familles de ses proches comme Molotov, Kaganovitch ou Kalinine. Dans ces cas-là, dès que le doute s'instillait, Staline appliquait toujours la même méthode : la purge ou le camp. Il dormait dans des chambres dont les portes devaient être blindées. Quand il se déplaçait, deux limousines, des ZIS en tous points identiques, sillonnaient au même moment les rues de la capitale. C'est exactement ce dispositif qui fut adopté au soir du 28 février 1953. Au Kremlin, Staline avait réuni ses proches pour évoquer « la conspiration des blouses blanches », ce fameux complot prétendument mené par des médecins juifs soviétiques pour éliminer les hauts dignitaires du régime.

La voix de Spyridon se faisait alors presque confidentielle. « Je me souviens de ces derniers jours. L'atmosphère était devenue irrespirable. Tout le monde se méfiait de tout le monde. La peur de dire quelque chose qui serait mal interprété ou d'être dénoncé par un confrère jaloux. Nous, médecins, nous étions en première ligne, à la fois mobilisés et suspectés. Ce soir-là nous savions que Staline, sitôt la réunion terminée, partait dans sa datcha de Kountsevo, près de Moscou. À minuit, comme à chaque fois, trois ZIS quittèrent le Kremlin en empruntant des itinéraires différents. Le lendemain, 1er mars, l'officier de sécurité – je le connaissais bien, il s'appelait Piotr Lozgatchev – fut étonné de voir Staline dormir aussi longtemps et prit sur lui d'entrer dans sa chambre à 23 heures. Il le trouva, inconscient, couché par terre dans son urine. Souffrant depuis longtemps d'athérosclérose, il avait fait pendant la journée une attaque cérébrale. On le transporta sur le canapé du salon et l'on chercha à joindre Beria, le chef de la police, qui seul, selon la volonté de Staline, devait décider si un médecin avait le droit de l'approcher. Impossible de joindre Beria, lequel laissa cependant pour consigne de ne prévenir personne, ajoutant qu'il arrivait avec ses médecins. Finalement il se présenta à 3 heures du matin dans la nuit du 2 mars en compagnie de Khrouchtchev et Boulganine, qui étaient incapables de faire la différence entre un foie et une rotule. Staline était dans le coma, mais encore vivant. Les trois hommes tergiversaient, craignant les conséquences d'une erreur de jugement qui pourrait leur être fatale si le patron s'en tirait une nouvelle fois. Beria était le moins empressé à appeler du secours. Et pour cause. Il avait appris qu'il figurait sur la liste de la dernière purge, édictée personnellement par Staline après l'affaire du "complot des blouses blanches", en raison de ses liens avec l'un des suspects. Ensuite, personne à part Beria et les deux autres ne sait vraiment comment les choses se sont terminées. En tout cas, le décès de Staline fut officiellement constaté le 5 mars 1953 à 6 heures du matin. Son agonie avait duré près de trois jours. Le lendemain, tous les médecins du Kremlin ont été cantonnés sur place. Interdiction d'entrer ou de sortir. Il y avait des bruits selon lesquels Beria allait faire exécuter certains d'entre nous pour l'exemple et intimider d'éventuels membres du prétendu complot. Le 7 mars, le directeur de la santé me convoqua pour me dire que je faisais partie des neuf pathologistes chargés de réaliser l'autopsie de Djougachvili. Cela pouvait vouloir dire beaucoup de choses. Soit j'étais promu sur ordre de Beria, soit mes heures étaient comptées puisque faire éliminer qui que ce soit pour le motif le plus léger était un acte routinier de bonne conduite prescrit par un code de survie ordinaire. »

Il est évidemment impossible de savoir quel fut le véritable comportement de mon grand-père durant vingt ans dans ce monde inversé aux relations désaxées. Mais il est raisonnable d'envisager qu'il ne monta les marches des datchas et du Kremlin qu'après avoir donné de solides gages de loyauté au tyran ou à ses subordonnés directs.

« Quand nous nous sommes retrouvés à neuf avec nos instruments devant le corps nu de Staline allongé sur la table, j'ai pensé à une chose étrange. Je me suis rappelé la phrase qu'il répétait sans cesse à Beria, Boulganine, Khrouchtchev, à tous ceux qui l'approchaient et qu'il couvait alors d'un regard empreint de mépris affectueux : "Que feriez-vous sans moi, vous qui êtes plus impuissants que des chatons aveugles tout juste venus au monde ?"

« Le cerveau était encore marbré par les impacts de l'hémorragie, et irrespectueusement tranché à certains endroits pour que le neurologue qui instrumentait puisse examiner l'état des coupes. Au bout d'un moment, il y eut un peu de tout partout et du sang, et de la viande, et des bouts de compresses. Djougachvili avait terrorisé un peuple et fait vivre tout un gouvernement selon son bon vouloir, à des horaires de noceur. Et maintenant, il était en train de se déliter par petits morceaux. Quand nous eûmes fini, après avoir nettoyé et refermé le crâne, nous quittâmes la salle sous le regard méfiant des gardes. Personne ne s'aperçut que, durant la bataille, j'avais profité du désordre pour glisser une lamelle du cerveau de Staline entre deux compresses déposées ensuite dans ma valise d'auscultation. Ce n'est qu'en sortant vivant du Kremlin une heure plus tard que je fus pris d'une peur panique. Je savais que tout pouvait arriver n'importe quand, le bien comme le mal, la médaille comme la mort.

« Quelques jours après avoir co-signé le rapport d'autopsie, le professeur Roussakov meurt subitement. Le lendemain, le président de ce collège d'experts, le docteur Tretiakov, est arrêté chez lui et envoyé à Vorkouta, vers le nord, dans un wagon-prison où il retrouve deux autres médecins qui avaient participé à l'autopsie. J'ai compris qu'il fallait faire vite. N'emportant que le strict nécessaire, je me suis glissé dans la confusion qui régnait encore dans le pays, et, avec la lamelle, j'ai quitté Moscou pour ne plus y revenir. »

Et c'est ainsi qu'un morceau de l'encéphale stalinien, un bout de mémoire soviétique s'est retrouvé archivé dans 100 centilitres de formol, au premier étage de notre maison, dans la chambre de Spyridon. Combien de fois, dans mon enfance, m'avait-il fait asseoir face à cette chose irisée par l'éclairage de la lampe, cette tranche d'Histoire qui contenait peut-être bien plus qu'on ne pouvait l'imaginer, nous les « pauvres petits chatons aveugles ».

Pour étayer son récit sur le « complot des blouses blanches » fabriqué de toutes pièces par Beria, Spyridon nous montra un soir un véritable communiqué officiel de l'agence TASS qu'il avait conservé.

« Les organes de la Sécurité de l'État ont détecté un groupe de médecins terroristes dont l'action consistait à abréger les jours des hommes d'État soviétiques en recourant à des méthodes de soins nocifs. Parmi les membres du groupe terroriste, on trouve le professeur Vovsi, le professeur généraliste Vinogradov, le professeur généraliste M.B. Kogan, le professeur généraliste Egorov, le professeur généraliste Feldman, le professeur oto-rhino-laryngologiste Etinguer, le professeur Grinstein. Les criminels ont avoué qu'ils avaient profité de la maladie du camarade Jdanov pour, posant un diagnostic erroné, dissimuler

qu'il souffrait d'un infarctus du myocarde, et lui prescrire un régime contre-indiqué pour cette gravissime affection, conduisant ainsi le camarade Jdanov à l'issue fatale. Les criminels ont de même abrégé les jours du camarade Chtcherbakov. Les médecins criminels s'étaient en premier lieu employés à saper la santé des cadres supérieurs du pays, à mettre hors de combat le maréchal Vassilievski, le maréchal Govorov, le maréchal Konev, le maréchal Chtemenko, l'amiral Levtchenko. Les médecins, monstres du genre humain qui ont piétiné l'étendard sacré de la science, étaient des agents à la solde de l'étranger. La plupart étaient liés à l'organisation bourgeoise nationaliste juive "Joint", fondée par l'espionnage américain. Vovsi a déclaré qu'il avait reçu des États-Unis la directive d'exterminer les cadres dirigeants de l'URSS, ceci par l'intermédiaire de Chimeliovitch, un médecin de Moscou et du nationaliste bourgeois juif notoire Mikhoels. »

Quelque temps après la mort de Staline, l'affaire du « complot des blouses blanches » tomba aux oubliettes, le fameux rapport d'autopsie disparut à jamais et tous les praticiens furent réhabilités. Sergeï Prokofiev mourut le même jour, à la même heure et de la même maladie que Joseph Staline. Étrange destin pour ce compositeur que Djougachvili tourmenta toute sa vie au gré de ses humeurs, l'accusant notamment de produire une musique « trop conformiste ». Bien que ruiné et souvent publiquement ridiculisé par le Kremlin, le musicien s'efforça malgré tout de plaire à son maître jusqu'à la fin, ce fameux 5 mars 1953, où la mort mit un terme à ses humiliations.

J'ai longtemps considéré Spyridon Katrakilis comme un étrange dissident pour avoir ainsi emporté dans sa fuite cette compromettante lamelle de tyran qui, dans le contexte de l'époque, aurait pu provoquer sa perte. Sa fascination pour ce fragment de cerveau me paraissait, en la circonstance, sacrément audacieuse. Jusqu'à ce que je découvre qu'un certain Thomas Harvey, pathologiste chargé de déterminer les causes de la mort d'Albert Einstein survenue le 18 avril 1955, avait, une fois son travail achevé, quitté l'institut dans lequel il travaillait, emportant avec lui le cerveau du physicien au complet. Pour étudier sillons et circonvolutions il débita l'organe en 240 cubes qu'il conserva lui aussi à son domicile, pendant vingt-trois ans, dans une armada de bocaux emplis de formol.

Katrakilis versus Harvey.

Lorsque mon grand-père arriva à Toulouse, il dut apprendre le français et s'adapter à une nouvelle vie. Il commença par acheter notre grande maison et exerça plusieurs métiers sans lien les uns avec les autres, sinon qu'ils l'occupaient davantage qu'ils ne lui rapportaient d'argent. Il n'exerça jamais la médecine. Mon père, ayant rapidement bouclé ses études, ouvrit en revanche son cabinet à l'âge de 27 ans en 1956, s'allia aux Gallieni et m'agrégea à leur tribu, et la famille gréco-russe prit ses aises.

En définitive, je ne savais pas grand-chose de mon grand-père, mais il me restait sa voix dans la tête qui n'en finissait pas de me murmurer l'histoire de la nuit où mourut Djougachvili et du petit matin qui emporta le dernier quagga.

Comme Spyridon était avant tout l'aîné des Katrakilis et se devait de montrer la marche à suivre, il se suicida en février 1974, sans raison apparente ni explication – c'est une règle dans la famille – à l'âge de 74 ou 75 ans selon que l'on se réfère à l'un ou l'autre des documents moscovites.

En fin d'après-midi mon père reçut un coup de téléphone du commissariat de police de la rue du Rempart-Saint-Étienne, voisin de la cathédrale éponyme, lui apprenant le geste de mon grand-père.

Il avait fait les choses en grand en se logeant comme Nadejda Alliloulïeva-Staline, sa protégée, une balle en plein cœur, assis à l'aplomb des arches gothiques, juste avant les élancements des voûtes inconsidérées striant la partie romane de cette église givrée à l'architecture sans égale.

Nul ne savait d'où sortait le revolver. C'était un Nagant, imaginé par le fabricant belge du même nom pour l'armée soviétique. Le modèle de Spyridon était de type « à canon et crosse raccourcie », spécialement conçu au début des années 20 pour le NKVD, la police politique de l'URSS.

L'ancien petit dignitaire communiste qui avait toujours vécu dans un monde sans Dieu mourut bien loin du Kremlin et à vêpres. Il estimait avoir fait son temps.

L'ORIGINE

Le chien regardait défiler la route. De temps à autre il aimait passer son museau par la vitre entrouverte et se faire gifler par le vent. La truffe au zénith, il narguait les éléments, les affrontait tête haute. Il posait aussi sa patte sur mon bras droit, sans requête apparente, scrutant mon visage pour y lire simplement un signe d'approbation. C'était la première fois que Watson venait au Pays basque. Après la semaine assez particulière que je venais de vivre, j'avais décidé de revenir à l'origine. Je connaissais les routes qui y menaient, la Triumph aussi, qui roulait avec un certain contentement, satisfaite de ses réglages et du débit parfaitement calibré de ses deux carburateurs SU à bain d'huile. À mesure que je m'éloignais de Toulouse, j'avais l'impression que la mémoire de la famille se détachait de moi, un peu comme des amarres soumises à une tension trop forte et qui lâchent les unes après les autres. Les odeurs fanées de Saint-Gaudens, le plateau glacial de Lannemezan, la rampe de Capvern, et la suite.

À Hendaye le ciel lissait la Rhune, le Jaizkibel, et une pluie d'hiver embrumait le nouveau casino, l'ancien Eskualduna et le front de mer. Cette côte faisait partie de ces rares endroits où le temps avait en définitive fort peu d'importance, les gens comme l'environnement s'accommodant aussi bien des averses que des flashes de chaleur. Au bout de la plage les deux immenses fragments de falaise arrachés au continent et qu'on appelait « les jumeaux » baignaient dans un océan apaisé à marée basse.

Quand il vit la mer, le chien se mit à trépigner de joie et d'impatience. Lui aussi revenait à ses origines, l'iode, l'air salin, l'océan. Malgré le crachin, j'arrêtai la voiture et en quelques foulées Watson bondit sur le sable. Peu rancunier mais méfiant, il tâtait l'eau des vaguelettes du bout de la patte, puis, estimant sans doute avoir pris déjà de gros risques, revenait vers moi au grand galop. Il avait le poil collé, sa dégaine et sa tête des jours heureux quand il sentait qu'autour de nous vivait simplement un monde calme, serein, bienveillant.

J'avais loué un studio en Espagne, à Fontarrabie, de l'autre côté de la Bidassoa. Il était situé au dernier étage d'un immeuble qui dominait toute la plage d'Hendaye. De ma fenêtre, je voyais le port français et les embarcations amarrées à des corps morts disséminés un peu partout dans la baie de Txingudi. Tous les quarts d'heure en été, chaque demi-heure en hiver, un bateau-navette reliait les deux villes en une vertigineuse traversée de cinq minutes manœuvres comprises.

Je séchai Watson. Il avait rapporté avec lui un bout d'algue qu'il semblait tenir pour un ami d'enfance. J'allumai la télévision et un type avec une tête d'assureur déclara : « *Manuel, beba Kas, beba Kas, y nada más.* » Lorsque nous venions ici, aussi étrange que cela puisse paraître, mon père buvait du Kas – un soda gazeux bon marché, sévèrement aromatisé à l'orange ou au citron. Et dès la première gorgée, le verdict tombait : « C'est de la chimie pure. »

Le soir s'installait. À cette époque de l'année, les propriétaires de bateau n'aimaient guère la mer et les mouvements dans le port étaient assez rares. Les pêcheurs à pied du soir, indifférents à la météo, toujours confiants, déployaient leur matériel. Ils pouvaient rester en position pendant des heures, à attendre, à espérer, ou peut-être à regretter leurs belles années.

Le lendemain, je suis allé faire quelques courses à Irún avant de revenir en France. La route de la corniche vers Saint-Jean-de-Luz, et le port de Socoa. C'est là que j'avais rencontré mon recruteur.

Dans notre sport, le recruteur, c'est un peu l'homme par qui le bonheur arrive, le faiseur de miracles et de petits rois. Tous les joueurs espèrent un jour le rencontrer ou entendre sa voix au téléphone. Le mien s'appelait László Papp, « comme le boxeur des années 50 ». Il travaillait pour W. Bennett Collett, le patron du Jaï-alaï de Miami. Sa mission consistait à ratisser tous les frontons de la planète, du Mexique aux Philippines en passant par Milan, pour trouver de jeunes joueurs susceptibles d'assurer onze mois de *quinielas* en Floride. La côte basque était son vivier de prédilection et il y séjournait durant les tournois de l'été avant de décrocher son téléphone en fin de saison et d'appeler un ou deux élus en commençant toujours son appel par : « Je suis László Papp. P A deux P, comme le boxeur des années 50. » La plupart des types de mon âge ignoraient que ce super Welter hongrois, puis poids moyen, avait été champion d'Europe EBU, champion olympique aux jeux de Londres (1948), d'Helsinki (1952) et de Melbourne (1956). L'immense majorité n'avait jamais vu un combat, mais tous savaient que si cet autre Papp appelait, il allait falloir s'accrocher un moment dans les cordes pour encaisser l'étourdissement provoqué par l'émotion.

Papp. Joe Pesci. Identique, cloné. Une voix de clarinette

mal embouchée, grand comme une brebis, nerveux, impatient, familier et à la fois étranger à son rôle. Un ratisseur. Exactement ça. Il faisait penser à ces types qui passaient leur journée à étriller le sable en quête de coquillages. Parfois ils tombaient sur un testacé qui retenait leur attention. Et là, ils le ramassaient, l'observaient, l'examinaient, sortaient le pied à coulisse, le mesuraient avec précision, puis le glissaient dans leur poche ou, au contraire, pour une raison connue d'eux seuls, le rejetaient.

Donc László Papp ratissait pour le compte de W. Bennett Collett, l'équivalent pour la cesta punta de la Warner Bros et de la Paramount réunies. Papp n'était pas plus haut que l'index qu'il pointait sur nous, mais ce doigt-là, nous le savions, était celui du destin.

La première rencontre avait eu lieu ici, juste au-dessus du port, dans l'ancienne maison d'un pêcheur sans doute désireux de se mettre hors de portée de la mer, une maison exceptionnelle, le dernier endroit habitable avant le gouffre des falaises et le fracas de l'océan. Chevillée sur cette presqu'île du vide, elle dominait le large mais aussi le fort de Socoa, la digue, ligne Maginot des tempêtes, la baie de Saint-Jean et parlait d'égale à égale avec les derniers contreforts des Pyrénées.

Je n'ai jamais su pourquoi Papp avait choisi cette maison pour notre premier rendez-vous. Elle appartenait à un de ses amis, lequel n'avait aucun lien avec la pelote, puisqu'il travaillait dans l'optique et fabriquait notamment des lentilles pour les agrandisseurs de photo et les projecteurs de cinéma. Lorsqu'il m'eut fait visiter la maison, Papp sortit sur la terrasse. Battu par les vents, à quelques pas seulement de la bâtisse, le jardin, année après année, glissait dans la falaise. Considérant la débâcle il dit : « Ça va tomber. Tout ça va partir. Tu vois ces piquets-là, là, et là, ce sont des marqueurs. Ils disparaissent les uns après les autres. Un jour tout s'en ira. Et il ne faudra pas être là quand ça arrivera. Tu crois en Dieu ? »

Quelle drôle d'idée. Croire en Dieu. On ne pouvait pas croire en Dieu quand on jouait à la cesta punta. Ni quand on traitait toute l'année avec la souffrance et la maladie, ou qu'à la maison le suicide était un sport national, et qu'en guise de complies, on allait se recueillir régulièrement devant un petit ex-voto formolé de Joseph Staline.

« Laisse-moi te dire une chose. Il y a des moments où le fait de croire en Dieu ça peut rendre des services. Par exemple, toi, qui es athée, chaque fois que tu commences une partie en trente-cinq points, tu sais qu'il va falloir aller les gagner un par un, ces putains de points. Tu vois ce que je veux dire ? L'autre, celui qui croit, lui, il sait déjà que sur les trente-cinq il en a sept ou huit offerts par la Grande Maison. Ce sont les points qui tiennent à un fil mais qui ne basculent jamais de ton côté, ces engagements qui dépassent d'un poil la ligne 7 ou n'arrivent pas à la 4, ces coups tordus qui te mettent la tête dans le seau. Au contraire ça peut être aussi ces gestes exceptionnels, surnaturels, tombés du ciel. L'autre jour, à Saint-Jean, je t'ai vu, avec ton avant, perdre un match splendide de deux points. Deux pelotes de rien du tout qui t'envoient au diable. Et pourquoi ? Parce qu'en face, l'autre arrière – et lui je le connais, c'est un Espagnol à l'ancienne –, il croit. Et tu ne le savais pas, mais cette après-midi-là, contre lui, tu n'avais aucune chance. Il avait commencé la partie avec un avantage d'au moins sept ou huit points, c'est ce que j'appelle le surplus de la foi. C'est comme ça. Ça se passe toujours comme ça. Je vois ça depuis plus de trente ans. Si tu veux aller loin dans ce métier, je te le dis, démerde-toi pour croire en Dieu. »

Pendant qu'il parlait je souriais en pensant que László aurait fait un sacré pape. Je me demandais s'il croyait un tant soit peu à ses évangiles, ou s'il se servait de cette parabole pour nous expliquer qu'il était le Père éternel, le seul et l'unique, et que si nous avions l'intention d'accéder un jour au paradis de Bennett Collett nous avions intérêt à dire des rosaires et à filer droit. En bas, la marée montante commençait à battre le rappel et les vagues à frapper les flyschs. Le choc faisait à chaque fois résonner le calcaire et l'eau le grignotait. Je pensais à l'homme qui polissait les lentilles, à son grand-père qui avait habité là avant lui, et je me disais que pour vivre ici, il valait mieux que les deux aient cru en Dieu.

Papp alluma une cigarette, prit une longue bouffée qui embrasa ses bronches. « La différence entre nous, tu vois, c'est que moi je peux croire en un type comme toi qui ne croit pas. Je sais que tu vas jouer dimanche prochain. Une grosse partie à Biarritz. Et je serai là. Et le vendredi d'après aussi. Et encore la semaine d'après. Je vais regarder tout ce que tu fais, tes gestes, ton placement, ta vitesse de bras, ton coup d'œil. Je vais passer mon été à ça, te pister. Et, durant cet été, je vais aussi observer deux autres joueurs, le jeune Iguazabal et Fernando Ochoa, de Guernica. À la fin de la saison je ne proposerai qu'un seul contrat. D'après ce que je sais, les deux autres font partie de ces types qui, contrairement à toi, commencent les matches avec sept ou huit points d'avance. »

László Papp me tourna le dos, marcha jusqu'au bord de la

falaise, dégrafa sa braguette et, comme un enfant inconscient du danger, pissa dans le vide.

Plus que de sa défense et illustration des bienfaits de la foi, je me souviendrai toujours de cette image de mon recruteur, la bite à la main, expulsant lors de notre première rencontre des fumées de tabac et de longs jets d'urine.

L'été me sembla durer des années. J'avais gravi tous les échelons de ce sport, subi ce qu'il fallait d'apprentissage, de défaites cuisantes et de victoires estimables, tout en m'infligeant d'insipides études médicales parsemées de séances de soumission intellectuelle et d'humiliations hiérarchiques. Mais jamais je n'avais ressenti, même lors des examens ou des phases éliminatoires, une anxiété aussi ravageuse que celle que j'éprouvai sous l'œil de Papp.

La cesta punta se jouait par équipe de deux contre deux et l'on était donc, en partie, tributaire de la performance de son partenaire. Savoir qu'en plus le moindre de mes gestes allait être annoté, savoir que j'allais jouer toute ma saison sous surveillance me paralysait.

La rencontre de Biarritz fut un véritable désastre. Face à une paire espagnole de premier choix, rodée, intelligente, mon partenaire et moi fûmes inexistants. Sans doute nos deux adversaires possédaient-ils une foi insubmersible puisque, conformément aux projections de « l'équation Papp », nous fumes battus de sept points.

Le week-end suivant, le tournoi se déroula au Jaï-alaï d'Hossegor, le fronton couvert le plus ancien de France, qui, entre piscine et casino, hébergea les premiers championnats du monde en 1950. Papp était quelque part dans le public, je pouvais détecter sa présence, sentir son odeur. Etcheto, un avant de Bayonne, et moi avions à affronter une autre paire espagnole, les frères Leguizamon de Hernani. Deux joueurs constants, durs, sans génie ni véritable point faible. Avant que la partie commence j'avais le sentiment d'être un jeune acteur qui se rend à une audition, la tête emplie de son texte, la mémoire en désordre et la langue aussi lourde qu'une coulée de plomb. J'étais tétanisé par un trac de débutant. Peut-être parce que je prenais conscience que, bien au-delà du match que j'allais disputer, c'était une part de ma vie que j'allais jouer, la meilleure, celle dont je rêvais depuis l'enfance, depuis que j'avais entendu les premiers coups de fouet, de buis et de peau mêlés, claquer sur le fronton d'Hendaye. J'avais deux mois pour gagner ma place dans l'avion, oublier la médecine paternelle et universitaire, les restes de Djougachvili et les montres définitivement arrêtées des Gallieni. Je m'étais mis dans la tête que plus que ma vie c'était ma survie qui était en train de se jouer.

Avant la première mise en jeu, je vis les frères Leguizamon s'encourager mutuellement et surtout se signer ostensiblement. Quelque chose que je qualifierais de miraculeux s'opéra alors en moi. Une transmutation. Toute l'inquiétude que je distillais depuis deux semaines se matérialisa en une incommensurable colère, une rage inextinguible contre ces frères qui, du seul fait de leur allégeance au Père, allaient débuter la rencontre, selon la Papp-théorie, avec deux fois huit points d'avance.

Les moteurs humains démarrent parfois au moment où on ne les attend pas et il serait vain de se montrer trop regardant sur la nature du carburant qui alors les anime. À Hossegor, ce jour-là, les Leguizamon ont affronté la colère de Dieu, pas celle de leur créateur, sans doute, mais celle, bien plus effrayante, de pelotaris païens qui refusaient désormais de commencer leurs parties avec des handicaps de chevaux de course. Les frappes monumentales succédaient aux finesses les plus retorses, les plus subtiles aux plus spectaculaires. Un match à perdre la raison. Quand Etcheto et moi le décidâmes, les flots s'ouvrirent en grand devant nous pour nous offrir une voie royale, avant de se refermer sur la paire Leguizamon, à jamais engloutie avec foi et barda.

Quelque part dans le public je savais qu'un type était en train de sourire. Il griffonnait une ou deux choses sur son carnet de notes. Dans un moment il appellerait Bennett Collett pour son compte-rendu hebdomadaire. Un match à sens unique. Rien de bien extraordinaire. Sauf peut-être un arrière qu'il faudra revoir.

Ce mois-là, László Papp revint me voir jouer à deux reprises à Bilbao et à Pau. Des rencontres plus équilibrées, livrées avec un esprit libéré. Je savais que deux autres recruteurs travaillant pour le compte des Jaï-alaï de Bridgeport, dans le Connecticut, et de Tampa, sur le golfe du Mexique, étaient également en train de sillonner la côte basque. Si je faisais une bonne saison, eux aussi pouvaient s'intéresser à moi et me proposer un contrat sur le circuit professionnel américain. Mais il fallait être attentif, se tenir informé de ce qui se passait outre-Atlantique et ne pas signer n'importe où. Certains frontons possédaient une réputation douteuse à cause de leurs liens avec la pègre ; d'autres étaient déjà sous enquête pour toutes sortes de motifs : infractions à la législation sur les jeux, paris truqués, fraudes fiscales – les agents de l'IRS autopsiaient les circuits de l'argent des jeux – et prévarication. Il y a peu de temps encore, le premier propriétaire du Jaï-alaï de Bridgeport, David Friend, avait reconnu devant une cour de justice avoir versé 25 000 dollars au représentant du parti démocrate du Connecticut pour obtenir l'autorisation de construire son fronton. D'autres enquêteurs avaient aussi ouvert des investigations sur le Miami Syndicate, une douzaine de petits gangsters des jeux qui utilisaient des formules mathématiques sophistiquées pour déterminer des probabilités de victoires, mais qui manipulaient plus explicitement les factorielles et les tableaux de résultats quand l'usage des équations s'avérait insuffisant. Les centaines de millions de paris qui circulaient chaque année autour des frontons du sud de l'Amérique fragilisaient les consciences et aspiraient les plus imprudents dans leur vortex de dollars.

Un soir, après l'entraînement, Papp vint à ma rencontre en mangeant des churros dans un cornet de papier auréolé par l'huile de cuisson. Il avalait cette friture sucrée à un rythme suffocant, comme si sa vie dépendait de chaque bouchée, prenant juste le temps d'essuyer ses doigts ruisselants de gras avant d'enfourner une nouvelle ration. « Il fallait que je te voie. Putain que c'est bon, tu en veux ? Dis-moi, on m'a dit que tu étais médecin. C'est vrai ou bien c'est des conneries ? Tu as fini, fini ? Et tu veux réellement passer pro de cesta punta ? Laisse-moi t'expliquer une chose. Si jamais tu étais recruté, un jour, il faut que tu saches que, là-bas, à Miami, personne n'en aura rien à foutre que tu sois toubib. Au Jaïalaï, toubib, suceur de bidet ou ramasseur de serpent, c'est pareil. Les diplômes, chez nous, ça sert de dessous de plat. Ce qu'on demande aux types, c'est d'arriver à l'heure, de taper comme des sourds, de grimper aux murs et de respecter le jeu et les parieurs. Va pas chercher autre chose. Ce qu'on veut, c'est des gens qui vont au boulot. Et comme partout, il y a un patron, un superviseur et des actionnaires. Il faut que les affaires marchent et que l'argent tourne. C'est ça le travail. Rien d'autre. Qu'est-ce qu'il fait ton père comme boulot ?... Je vois. En fait tu as repris le magasin. Moi, le mien, il travaillait à Détroit, à la compagnie des chemins de fer. »

László Papp, confit dans le sucre, les lèvres nappées de gras, l'œil attentif, presque méfiant, observant la vêture d'un passant avant de s'intéresser à la démarche d'un autre, à la fois là et pas là, bienveillant et distant, capable de vérité et de petits calculs, imposant et mesquin. Je lisais dans ses yeux une sorte d'incompréhension et de mépris à mon égard. Je sentais qu'il désapprouvait comme mon père mon choix de vie, qu'un type qui savait à quel moment injecter un cardioanaleptique n'avait rien à faire entre les lignes 4 et 7, qu'il y avait une place pour chacun et qu'il fallait l'occuper. Papp était convaincu que pour être un bon pelotari pro, il fallait avoir faim et ne pas hésiter à convoiter l'assiette de l'autre. Un fils de médecin fraîchement diplômé ne savait absolument rien de ce qu'était la faim, sinon qu'elle était provoquée par la chute du niveau de glycogène dans le foie et la réactivité de cellules situées dans l'hypothalamus particulièrement sensibles aux variations de la glycémie. Il fallait avoir, chaque jour, connu la satiété en toute chose pour avoir le loisir d'apprendre l'appétit et l'expliquer de cette façon. Je devinais qu'à la compagnie des chemins de fer de Détroit, la compréhension et l'usage du monde empruntaient des voies plus directes. Il n'y avait qu'à voir Papp dévorer ses churros pour s'en convaincre.

Avec le départ des touristes, le terme des vacances, la saison de cesta punta touchait à sa fin. Je disputais mes dernières rencontres, convaincu d'avoir manqué mes auditions. Parfois le fil du texte m'avait échappé, parfois j'avais balbutié mes répliques. J'avais joué certes, mais comme peut le faire un bon fils de famille, c'est-à-dire assez loin des standards que l'on est en droit d'attendre d'un vrai professionnel.

Quelques jours avant mon retour à Toulouse, Papp m'appela. « Tu es libre cette après-midi ? Alors à 16 heures à Socoa. À la maison de mon copain. » J'espérais la bonne nouvelle, l'annonce inespérée, le miracle. Mais mon handicap de mécréant modérait la foi que je pouvais avoir en ma bonne étoile, si tant est qu'elle ait un jour brillé quelque part.

Une pluie d'orage de fin d'été voilait les contours du fort, et les prémices des vagues des marées d'équinoxe, butant sur la face concave de la jetée, giclaient à la verticale vers le ciel.

Papp regardait la pluie, et la mer, et le port, et les gerbes d'eau jaillissantes. Il mangeait à nouveau des churros, cette fois des petits modules, qui dansaient sur ses doigts avant de disparaître entre ses lèvres comme par magie. Il avala ainsi ses friandises pendant un moment, en me considérant avec circonspection, comme s'il voulait s'assurer qu'il s'agissait bien de l'original et non pas d'une copie.

« Je vais te dire la vérité. J'ai suivi toute la saison et franchement je t'avouerai que je ne l'ai pas trouvée terrible. J'ai vu presque tous tes matches et je t'ai trouvé bon par moments mais aussi, parfois, assez irrégulier. Iguazabal est un ton au-dessous de toi. Ochoa, lui, est au-dessus. Il a fait de bons tournois, il a de la force, c'est un bon gars et il a un gros avantage par rapport à toi, c'est qu'il démarre tous ses matches à, disons, en ce qui le concerne, plus trois ou plus quatre, ce qui est déjà bien. Malheureusement, il ne veut pas quitter le pays. Il a tous les siens ici et un bon travail à la Communauté autonome basque, à Saint-Sébastien. Alors il m'a dit non. Il me l'a dit gentiment, mais c'est non. Il préfère jouer à Guernica et rester chez lui. Alors voilà, si tu le veux, le contrat de cette année est pour toi. Tu es mon second choix, mais ça ne change pas grand-chose en ce qui te concerne. Tu seras le premier toubib que je recruterai. Et je suis certain que si tu es d'accord, l'idée de t'embaucher va bien amuser Bennett Collett. Passe-moi la serviette en papier. »

Il m'a tendu son cornet de churros, j'en ai saisi un qui était à peine tiède. Au moment où j'ai mordu dedans, toute l'huile du monde a giclé dans mes dents. C'était l'huile la plus ahurissante que j'ai jamais goûté, recuite, bien grasse, lourde, presque pâteuse, infiniment saturée. Une huile pour moteur diesel, une huile de jour de fête.

László Papp n'avait pas le contrat sur lui et il me donna rendez-vous trois jours plus tard à la terrasse du Café Suisse à Saint-Jean-de-Luz. Ce furent les soixante-douze heures les plus longues de ma vie. J'envisageais la possibilité qu'au dernier moment, Ochoa revienne sur son choix, que Papp ait un accident ou une crise cardiaque, que Bennett Collett, tout bien considéré, ne veuille pas d'un médecin sur le circuit. Les éventualités les moins plausibles me réveillaient la nuit et le jour, je redoutais d'avoir à croiser la vrille du mauvais sort. Et quel était mon handicap réel sur l'échelle de la Papp-théorie ? Une rédemption foudroyante augmenterait-elle mes chances ? Des cierges ? Des offrandes ? Des rosaires ? Des cilices ? Durant ces trois journées j'ai frôlé à plusieurs reprises la conversion et la tentation de vivre quelques jours dans la perfection de la foi. Après tout, Miami valait bien une messe.

« Tu as prévenu ta famille ? » Papp avait posé machinalement la question sans imaginer qu'il eût été trop embarrassant pour moi d'avouer qu'il ne restait qu'un père qui détestait l'Euskadi en général et les activités cesta puntesques de son fils unique qu'il n'était jamais allé voir, ne serait-ce qu'une fois, au pied du mur. Et puis prévenir pour dire quoi ? Que l'exercice de la médecine n'était plus à l'ordre du jour ? Qu'en revanche, j'avais été reçu, comme deuxième choix, à mon examen de jaï-alaï et qu'à partir de cette année 1984, je devenais joueur professionnel à Miami, travaillant pour le compte de Mr William Bennett Collett Sr, chairman de la compagnie ? Qu'il y avait des millions de dollars qui se baladaient un peu partout et des types du FBI chargés d'enquêter sur les flux et les mouvements surnaturels de tout cet argent ?

« Bon, voici les papiers. Tu lis, tu paraphes chaque page et là, en bas, tu signes. Deux exemplaires, un pour toi, un pour moi. Je t'ai fait établir un contrat standard Pro-première année. Pour une saison, reconductible si tout le monde est d'accord. Pas de clauses particulières mais tu n'as plus le droit de jouer ailleurs que chez nous. Les frais de logement sont à ta charge. On peut t'aider à trouver un appartement. Le temps que tu t'installes, tu as une semaine gratuite à l'hôtel. Six après-midi de travail par semaine et des nocturnes le vendredi ou le samedi. Salaire : 1 800 dollars plus les primes. Si tu tournes bien, tu peux doubler la mise. Ici pas de parties en 35 points mais des *quinielas* de trente minutes. Tu connais les *quinielas* ? Tu marques le point, tu restes en jeu, tu le perds, tu dégages. Ça va très vite, ça tourne sans arrêt et les parieurs adorent ça. C'est à la fois le même jeu qu'ici et quelque chose de différent. Là, on mise sur toi comme si tu étais un cheval. Il te faudra un peu de temps pour t'adapter. En tout cas, ça joue bien. Les pelotaris viennent d'un peu partout. Ça parle espagnol, anglais et votre putain de basque. Tu commences dans deux mois. Ça te va ? »

Je signai les yeux fermés, reniai les prémices calculateurs d'une foi vagissante, bénis les saintes génuflexions de Fernando Ochoa, jetai au feu de l'enfer les théorèmes de la Papp-théorie. Mon recruteur glissa les documents dans sa serviette et, comme un assureur qui a fini sa journée, quitta la place Louis-XIV en direction de la rue Gambetta.

Tout cela était déjà bien loin. Mais il fallait qu'après la disparition de mon père je revienne dans ce port, au pied de cette maison, sur les pas de celui qui était à l'origine.

László Papp. Je lui dois mes années de légèreté et de vie gourmande. Je n'ai jamais su si l'histoire d'Ochoa était vraie. S'il avait vraiment refusé la place ou si Papp avait inventé ce conte pour rabattre chez moi d'éventuelles prétentions salariales et m'engager, en tant que second choix, à un salaire dont je m'apercevrais plus tard qu'il était, parmi tous les joueurs, l'un des plus faibles. Il était tout à fait capable d'échafauder un pareil stratagème. À Miami, je l'apprendrais par la suite, des rumeurs invérifiables le dépeignaient tantôt comme un consommateur compulsif de mineures, tantôt comme le *salaryman* d'un groupe vénézuelien voulant faire main basse sur les principaux Jaï-alaï de Floride. Il était également suspecté d'importer des animaux sauvages préservés – essentiellement des reptiles – et aurait été dénoncé par sa première femme qui l'accusait en outre de violences domestiques. Cela faisait beaucoup pour un seul homme. Je ne saurais rien dire de plus au sujet de Papp. Sinon que deux ans après notre première rencontre il mourut en traversant la rue, à deux pas de Hialeah Drive, renversé au carrefour par un gros 4 × 4 qui ne s'arrêta pas et que l'on ne retrouva jamais. Les Vénézuéliens, dirent certains. Pour d'autres, ce fut la vengeance de la famille d'une fille mineure. Peut-être aussi, ce matin-là, László était-il sorti de chez lui avec un inhabituel « déficit de foi », disons moins sept ou moins huit, qui ne lui laissait que fort peu de chance.

Le chien fit quelques pas sur la rampe de mise à l'eau du port, renifla l'air ambiant et la jambe d'un type qui graissait le treuil d'une remorque, puis ramassa un morceau de bois flotté qu'il me rapporta avec fierté comme s'il me présentait son ami de toujours.

LA GRANDE GRÈVE

Je n'avais jamais vu la maison ainsi. Portes fermées et volets clos. Dans cette configuration, elle paraissait plus massive et austère. C'était la première fois depuis 1953 qu'elle allait être livrée à elle-même, au grand silence des pièces, à la seule présence des cendres et du formol. Elle donnait l'impression de porter un deuil minéral, d'émettre dans la fréquence des ténèbres. Plus d'eau ni de gaz, ni de téléphone, ni d'électricité. Débranchée. En état végétatif. Une île en ville.

Je lui avais retiré une part de son identité et de son histoire en dévissant la plaque de cuivre de mon père apposée sur une pièce de bois chevillée à l'un des piliers du portail. Passant devant l'empreinte noircie du support, le promeneur pourra tout au plus deviner qu'il y avait eu là, autrefois, un cabinet. Mais plus rien n'indiquait qu'il ait appartenu à un dentiste, un médecin, un avocat ou un notaire.

À l'aéroport, Watson entra dans sa cage de transport avec la décontraction des *frequent flyers*. Tandis que l'avion s'élevait dans les airs, j'essayai d'apercevoir les arbres et le toit de ma maison. Au moment où j'étais sur le point d'identifier le Jardin des Plantes tout proche de chez moi, l'Airbus amorça un virage sur la gauche, effaçant d'un coup d'aile l'histoire de ma jeunesse.

À Miami, Epifanio m'attendait. Il était là pour m'accueillir dans le hall des arrivées qui sentait déjà le parfum des *quinielas*. Et il n'était pas venu seul. Sur le parking, m'attendait aussi ma voiture, lavée, lustrée, nettoyée et surtout équipée de nouveaux planchers que mon ami avait fait souder à la *carrocería*. « C'est ton cadeau de bienvenue, Pablito. Pour que ton chien et toi vous ne finissiez pas en guacamole. À part ça, la maison, le bateau, tout va bien. »

J'étais de retour, je revenais de l'hiver. En regardant Nervioso j'avais le sentiment de retrouver un ami d'enfance. Retrouver cette vie, c'était comme enfiler des vêtements propres, repassés, sentant le savon frais, des habits confortables, souples, enfin à ma taille. Le chien bondit sur la petite banquette arrière et le moteur à refroidissement par air démarra en cliquetant comme toujours dans un bruit de machine à écrire.

« Depuis quelques jours, l'ambiance est mauvaise au boulot. Toujours des questions d'argent. Tout le monde réclame de meilleures primes et une révision des contrats. La direction, elle, fait comme si elle savait pas qu'elle est la direction. Elle regarde à côté. Ça sent pas bon tout ça. Toi, en tout cas, il va falloir que tu te battes pour regagner ta place. Maxi Quinley, tu te souviens, *el rábano*, il se défend pas mal. Et surtout il lèche les roustons des patrons. Il a une langue de douze mètres ce putain d'Urugayen et il la leur met partout. »

Nervioso, « *el rábano* », cela ne faisait aucun doute, j'étais à la maison.

Je déposai mon ami devant la terrasse d'un café où l'attendait une fille éblouissante, racée et surtout prisonnière d'une robe si courte et près du corps qu'on l'eût crue empruntée à une enfant.

Le chien me rejoignit sur le siège avant et nous rentrâmes à la maison.

Le bureau de Barbosa empestait le cigare aigre. Il y avait de tout partout, de vieilles frites qui traînaient sur une assiette et, sur un coin du bureau aussi vaste que le capot de ma première Brougham, une paire de chaussures avec laquelle Spyridon Loúis aurait pu courir le marathon des premiers Jeux. Au mur, des doubles pages de *Play Boy* alternaient avec des affiches de cesta punta. Assis au cœur de tout cela, maître de la sueur, ordonnateur des bulletins de paie, vigile des permissions, des passe-droits et autres embrouilles, Gabriel Barbosa, dit Gaby, surnommé aussi plus lestement « *Chupetón* », qu'on peut traduire par « suçon », en raison de sa propension à vouloir embrasser toutes les employées qui se risquaient dans sa zone d'influence.

Chupetón faisait partie de cette catégorie d'individus à qui il ne fallait rien demander et surtout ne rien devoir. L'éviter en toute circonstance était un préalable. Quand il me vit entrer dans son bureau, Gaby me regarda pendant un moment comme si j'étais un étranger et dit : « On se connaît ? »

Puis il chaussa une paire de lunettes de soleil sortie tout droit de la boutique des accessoires de *Scarface*, et jouant son petit Tony Montana, dit : « Putain c'est le *French doctor*, le toubib sans frontières. Tu te souviens de moi ? Barbosa, Gaby Barbosa, le patron, El Jefe. » Il incarnait parfaitement l'odeur de la pièce. Un tel remugle ne pouvait émaner que d'un homme de cette nature, méprisant et assez stupide pour se croire infiniment intelligent. « Tout s'est bien passé ? Ça va ? En tout cas tu as pris ton temps. C'est bien la France, vous prenez toujours votre temps, même pour enterrer vos morts. Je me souviens d'un Basque qui s'était absenté plus de deux mois pour la mort de sa mère. Remarque, peut-être que le Basque est plus fragile que les autres. En tout cas, quand il est revenu ici, il a eu un deuxième choc quand je lui ai annoncé qu'en plus de sa maman, il venait de perdre aussi son boulot. Ensuite je crois qu'on l'a embauché dans un petit fronton aux Philippines. Toi, c'est différent. Tu t'es absenté presque un mois. Donc on va dire que tu n'as perdu que la moitié de ton travail. Celui qui a repris ton poste c'est un Urugayen, Maxi quelque chose. Il est bon. Ça veut dire que tu vas faire des remplacements et attendre qu'une place se libère pour réintégrer l'équipe à plein-temps. Tout ça est mentionné dans ton contrat. Et encore, passé deux semaines d'absence, on n'est pas obligé de te reprendre. Mais pour un enterrement en France, ça va, on ferme les yeux. Tu es libre demain ? Alors tu joues en nocturne. J'imagine que tu ne t'es pas entraîné ces derniers temps. Bon, si tu veux pas que ça se voie trop, je te conseille de transpirer un peu d'ici là. Oublie pas de te faire masser. Dernière chose : en ce moment, certains joueurs font des pétitions pour demander plus de blé à la direction. Il vaut mieux pas que ton nom circule sur la liste. »

J'étais tellement heureux de retrouver cet endroit, de côtoyer à nouveau les pelotaris, de rejouer, que le misérable monologue de Chupetón, son mépris, sa condescendance à mon égard retombèrent quelque part entre ses vieilles frites et ses playmates déclassées sans m'effleurer. Ses mots n'avaient aucun poids, ils ne possédaient aucune consistance. Gaby n'avait jamais touché une balle, ni mis les pieds sur la *can-*

cha, il ignorait ce qu'était Onena, ce que produisait la maison Gonzalez. Gaby, qui se rêvait sans doute en dictateur, avait-il jamais entendu parler de Djougachvili, de Vorochilov ou de Malenkov ? Savait-il que Beria avait fini fusillé sur ordre de ses propres amis ? Qu'est-ce que ce Cubain défroqué, cet Américain suintant pouvait bien connaître des Ariel Square Four ou de l'horlogerie à complication ? En l'écoutant jacasser entre ses frites moisies et ses suçons, je voyais bien que Chupetón était « aussi impuissant qu'un chaton aveugle tout juste venu au monde ».

Avant de repartir je fis un crochet vers les vestiaires et la salle de massage. Les joueurs discutaient entre eux d'une façon inhabituelle. Ils parlaient du mépris avec lequel la direction traitait leurs demandes et évoquaient la possibilité de monter un syndicat. Les plus combatifs, eux, disaient que tout cela ne servirait à rien et qu'il fallait se mettre en grève. Ce qui, ici, équivalait à menacer de l'arme atomique.

Je n'avais aucune envie de courir, ni de m'entraîner ou de discuter de problèmes de primes. Je voulais simplement profiter de la journée, de cette chaleur bienfaisante qui m'avait tant manqué, et passer du temps avec mon chien. Nous sommes allés au ponton voir le bateau, faire démarrer le moteur, et comme celui-ci s'est montré coopératif, nous avons pris la mer.

Se remémorant sans doute l'épisode de sa noyade, Watson parut inquiet durant les premières minutes de notre sortie, puis, se serrant contre moi sur la banquette du poste de pilotage, il regarda défiler les flots pendant que je suçais un Fisherman's Friend. Mon vieux bateau était un « pousseur d'eau ».

Dans le jargon marin cela voulait dire qu'il avait une « coque à déplacement » par opposition à une « coque planante ». Sa vitesse de carène était de l'ordre de six ou sept nœuds, ce qui signifiait qu'il ne déjaugeait jamais et que nous nous faisions régulièrement doubler par des poissons. Cela n'aurait eu aucune incidence sur d'autres eaux que celles de cette baie, sillonnée par de grosses vedettes ultra-rapides qui ne connaissaient et n'appliquaient qu'une seule règle maritime : vite et droit devant. Face aux charges aveugles de ces buffles de polyester, il fallait sans cesse être aux aguets et modifier sa route. Ensuite, le premier danger passé, on devait s'accrocher à ce que l'on pouvait pour résister aux vagues rapprochées générées par les sillages sauvages de bateaux sur-motorisés. Les quantités d'eau déplacées étaient considérables et, le temps qu'elles s'apaisent, mon embarcation et ce qu'elle contenait valsaient dans tous les sens. D'abord apeuré par ces tempêtes artificielles, Watson finit par s'accoutumer et mépriser leurs auteurs d'un dédain tout aristocratique.

Sans but, je longeai les longues bandes de terres semées de villas qui se multipliaient comme des graines au printemps. Avant que le soleil rejoigne l'horizon, le visage piqueté de sel, je fis demi-tour.

Pendant que je refaisais les amarres, Watson m'attendait sur le parking, assis devant la Karmann. Il la reconnaissait déjà.

Le lendemain, je disputais ma *quiniela* comme si je n'avais jamais quitté la compétition. J'avais un corps frais, régénéré par un mois de repos, temporairement délivré de la charge que je lui imposais depuis des années. Je savais que cette aisance serait de courte durée et que je paierais très vite mon manque de compétition. Mais pour ces premiers tours de piste, j'avais tenu mon rang, même face à Maxi-Quinley qui, contrairement aux assertions d'Epifanio, n'avait rien d'un radis ni d'ailleurs d'un joueur exceptionnel. Il se situait dans la moyenne honorable où nous barbotions pour la plupart, mais très loin du fameux *top ten* qui faisait l'excellence du circuit, attirait les amateurs, les jolies femmes, les acteurs, et les averses de paris qui tombaient à heures régulières.

Il est difficile aujourd'hui d'imaginer ce que fut cet endroit au début des années 70. Le Jaï-alaï de Miami était une sorte de chapiteau de cirque sous lequel entraient et sortaient toutes sortes de bêtes curieuses, vedettes de cinéma sanctifiées, producteurs opiomanes, chanteurs déglingués, gangsters en vue ou rangés, grossium endurcis, hommes politiques hétéros, gouverneurs homos, sénateurs bi, flics de toute obédience et même des concessionnaires Chevrolet venus de Louisiane pour le week-end. Ces gens-là auraient tué pour avoir une place à ce spectacle étincelant où l'on voyait des types aux mains d'osier courir, danser contre les murs et sauter dans la lumière comme des bulles de champagne. Les grands soirs, il y avait plus de quinze mille personnes. Un voiturier accueillait les arrivants qui étaient répartis dans des espaces dédiés selon leurs surfaces bancaires et leur notoriété. Les hommes portaient des smokings, leurs compagnes des robes de soirée. Pour que chacun n'ait qu'à tendre la main et obtenir un verre, on avait aménagé cinq bars qui délivraient des citernes d'alcool. Au premier étage un restaurant quatre-étoiles, des alcôves de peaux, des fauteuils de cuir, des dîners servis sur guéridon, des nappes lissées pareilles à des miroirs, des lampes d'ambiance pour éclairer les volutes de tabac qui s'échappaient des cendriers. On croisait Paul Newman et Joanne Woodward dans les escaliers, on butait sur Travolta qui buvait un verre avec Sinatra qui cherchait Toni Bennett. Les jolies femmes attiraient les photographes et les hommes qui aimaient les femmes qui attiraient les photographes. Séduire, fumer, boire, manger et surtout, surtout parier. Un million de dollars par soirée durant les week-ends. Ici tout était cher, les places, les boissons, les menus, les cigarettes et les pourboires. Au rez-de-chaussée, la vie était identique, mais sans les photographes, les jolies femmes, le champagne et les crooners. L'excitation était cependant identique. S'extasier, vibrer, applaudir, célébrer, et surtout, surtout parier. Tout devait aller à une vitesse folle, les balles, les pelotaris, les *quinielas*, les commandes, le service, et le traitement des mises. Partout des comptoirs pour jouer, souvent, rapidement, sans réfléchir, simplement parce que le guichet était là, et perdre, et rafler, et perdre, et reperdre encore. Mais, au bout du décompte, tout le monde avait le sentiment d'être au bon endroit, d'en avoir pour son argent, même quand il s'était évaporé, car le spectacle était exceptionnel. Des chorégraphies splendides pour les goûteurs d'élégance et sur le mur, le bruit de la mitraille pour les adorateurs des *mobsters*.

Début 1988 le Jaï-alaï continuait à faire des affaires sous son chapiteau mais le cirque, lui, s'en était allé, emportant avec lui les frénésies de champagne, la fièvre des bars et les futilités des célébrités. Pour d'inexplicables raisons, tout cela avait migré vers d'autres continents, d'autres passe-temps, d'autres festivités, suivant la marche erratique d'un public versatile, sans cesse en quête de distractions éphémères.

En cette année d'élections présidentielles, aucun des prétendants, que ce fût Bush, Jackson, ou Dukakis, n'avait prévu de s'arrêter ici, ne serait-ce qu'une heure, pour faire semblant de mettre une pièce sur le pire d'entre nous. Les jeux et enjeux, simplement, étaient ailleurs. Dans les temps anciens, F.D. Roosevelt et surtout Eleanor, sa femme, ne rataient pas une occasion de s'offrir une bonne soirée de *quinielas*. Quant aux Kennedy, en bonne compagnie, ils dînaient autour des lampes du premier étage, imités en cela par nombre de gouverneurs, démocrates et républicains, de directeurs du Trésor venus dépenser quelques miettes budgétaires.

Au fil des jours et de mes remplacements je constatai la dégradation du climat parmi les joueurs. Le vestiaire grouillait de ressentiment et les prises de parole ressemblaient à des réunions du Komsomol. Les désaccords avec la direction se manifestaient de manière beaucoup plus frontale depuis que les managers avaient refusé de recevoir les quatre représentants des joueurs, lesquels faisaient pourtant partie de l'élite de notre sport. Rien. Zéro. Pas un sou. Pas un mot. Au boulot.

Se risquant parfois hors de sa tanière, Chupetón tentait d'élever le ton ou d'agiter les bras pour brandir une menace de suspension ou d'exclusion, mais plus aucun joueur ne le prenait au sérieux. Il essayait de convaincre les plus faibles et de menacer ouvertement les plus vulnérables, mais la maladresse de ses manœuvres tout autant que ses outrances de pantin le rendaient chaque jour plus insignifiant aux yeux des joueurs. En le croisant, les plus rebelles lui tendaient des lèvres amoureuses en murmurant « *Chupetón, hazme un chupetón, guapa* » et l'autre continuait sa route, glissant dans les couloirs sur d'invisibles patins, s'éloignant au plus vite de ces suppliques. Gagnées par l'esprit de fronde qui régnait dans la maison, les secrétaires, jusque-là terrorisées par les harcèlements de Gaby, n'hésitaient plus à l'affronter tête haute. Ernesto Igual, un Cubain de la première heure, l'un des doyens du circuit, lui avait allongé une claque monumentale devant tout le monde en pleine salle de massage. Gaby avait eu le tort de l'insulter dans sa langue maternelle au prétexte que le joueur, appelé pour le début de la *quiniela*, traînait sur la table de soins. Handicapé par des articulations qui grinçaient comme de vieux vantaux, Igual s'était redressé avec difficulté, avait réajusté son maillot, lissé son visage à la manière d'un homme qui essaye de mettre de l'ordre dans sa vie, puis levant une main de ramasseur de canne à sucre, une main de pierre, pleine de fatigue, chargée d'histoire, il s'était contenté de la laisser retomber sur le visage de Barbosa. Il y eut alors le bruit sec que faisait la balle quand elle s'écrasait contre le fronton. Un bruit de bois ou d'os qui craque. Un bruit que l'on entend longtemps après qu'il a disparu. Gaby partit en arrière comme s'il dévalait une montagne. Igual prit son gant, écarta du pied un sac qui lui barrait le passage et partit rejoindre sa *quiniela* comme un vieux samouraï conscient d'aller livrer sa dernière bataille. Cet incident fit encore monter d'un cran la tension chez les joueurs. D'autant que, sitôt la partie terminée, Ernesto Igual fut licencié. Il ramassa ses affaires, salua tous ses partenaires et quitta le Jaï-alaï.

Ce départ imprévu provoqua le jour même ma réintégration comme pelotari à plein temps. Les choses marchaient ainsi. Suivaient les rails des contrats. Et celui d'Igual ne garantissait ni honneur ni dignité.

Quand j'entrai dans le bureau de Gaby pour signer le document enregistrant la modification de mon statut, la première chose que je vis fut l'enflure écarlate de sa joue, subtilement bleuie sur la partie haute qui bordait son œil.

« Qu'est-ce que tu regardes, merde. T'as jamais vu un hématome ? Crois-moi, je le retrouverai ce *montón de mierda* et je lui ferai manger sa main à ce fils de pute, une phalange après l'autre. Bon, signe ce truc-là et barre-toi. Putain, me faites pas chier aujourd'hui, tous autant que vous êtes avec vos pétitions de tapettes, allez putain, signe et dégage. *A tomar por el culo.* » Ce qui, en peu de mots, pouvait se traduire par « Va te faire foutre ».

Il me sembla alors qu'Igual entrait en moi et soulevait ma main. Avant qu'elle ne s'abatte, j'eus le temps de dire « *No me hables asi. Nunca* ». Et Chupetón ne tenta pas sa chance une seconde fois.

Cela faisait trois ans et demi que j'appartenais à la troupe des professionnels de cesta punta de Miami, et en aussi peu de temps j'avais vu le monde changer, le nôtre en particulier. L'innocence – si tant est que ce concept ait jamais existé dans le monde réel – avait laissé la place à des impératifs de gestion rigoureux au milieu desquels le jeu n'était plus qu'un facteur parmi tant d'autres. Des rapports hiérarchiques autoritaires s'étaient établis, avec des règles et des conditions de travail plus strictes grâce auxquelles l'actionnaire était toujours privilégié. L'argent des paris n'entrait plus poussé par l'allégresse du jeu comme autrefois, mais circulait encadré par une petite armée de kapos et de comptables zélés, chargés de surveiller la tension de son flux.

Je continuais à jouer avec bonheur et à partir au travail dans le même état d'esprit. Mais en moi, quelque chose ne cessait de me répéter qu'une époque était en train de finir, qu'une autre allait la remplacer, qu'à jamais je garderais le souvenir de ces années uniques où chaque soir, avant de m'endormir, je songeais que les jours à venir seraient autant de fêtes.

Peut-être parce que j'étais venu ici sans arrière-pensée. J'étais entré dans cette vie comme l'on se glisse dans un bain tiède. Financièrement, je n'avais jamais manqué de rien, mes besoins n'étaient pas non plus ceux de certains partenaires et, surtout, avec mon diplôme, je possédais une confortable et rassurante solution de repli. C'est pour cela que je jouais la tête délivrée des contraintes matérielles, acceptant sans y prêter attention un salaire qui pour d'autres était celui de la misère, une fois qu'ils avaient payé leur logement et envoyé la moitié de leurs gains à leur famille restée au pays.

Tout le début du mois d'avril ressembla à un long 18-Brumaire. Chaque journée était un coup d'État. Réunis en un nouveau et fulgurant syndicat, les joueurs, à la majorité, avaient voté la grève, l'arrêt des parties, des paris, des *quinielas*, *nada*. Faute de combattants, les frontons du Connecticut et de Floride s'éteignirent les uns après les autres. Le 14 avril, Daytona Beach, Melbourne, Bridgeport, Hartford. Le 15 avril ce fut au tour de Palm Beach, Orlando, Front Pierce et Quincy. Ensuite les choses se compliquèrent. Certains joueurs peu habitués à la mise en œuvre d'un pareil rapport de force, d'autres poussés par la nécessité d'aider leur famille, refusèrent d'adhérer au syndicat et manifestèrent leur intention de vouloir continuer à jouer. Les directeurs des Jaï-alaï, qui n'attendaient que cela, en profitèrent pour essayer de casser le mouvement en regroupant les non-grévistes et en leur adjoignant une douzaine de jeunes Basques éberlués et recrutés à la va-vite en France et en Espagne pour parer au plus pressé, faire le nombre, briser les revendications et, en les affectant aux deux plus grands frontons de Floride, permettre à Miami et Tampa de rallumer les lumières et de recommencer à engranger les paris. Assurer la continuité du flux, remettre le pipeline en service.

Santi Echaniz, le patron d'Orlando, se démultipliait sur les écrans de télévision avec des mines funèbres : « Avec ceux que nous venons d'embaucher, nous avons maintenant assez de joueurs non-grévistes pour reprendre les parties. Si le syndicat veut la guerre, il l'aura. Ce que font ces gens en ce moment est grave, c'est une honte. Nous vivons une période noire pour notre sport. »

Rickie Lasa, le représentant du syndicat des joueurs lui répondait en direct : « Non monsieur, ce que nous vivons, c'est une période d'émancipation. Nous en avons assez des intimidations, des menaces et des humiliations. Nous voulons que la World Jaï-Alaï Inc. et nos employeurs nous respectent, appliquent les règles du droit du travail et reconnaissent notre syndicat. Nous allons mener une longue et difficile bataille. Nous allons recommencer le combat de David contre Goliath. Et nous n'oublions pas que nous sommes David. »

Sur le golfe du Mexique, à Tampa, Giles Ellis, patron des patrons, manager général de la World Jaï-Alaï Inc., serrait les mâchoires : « Nous, à la World Jaï-Alaï, sommes opposés à la création de ce syndicat dont nous ne reconnaîtrons jamais l'existence. Nous allons nous adapter à la situation, utiliser tous les joueurs non-grévistes, et les regrouper afin de pouvoir maintenir ouverts et opérationnels nos deux plus grands frontons, ceux de Tampa et de Miami. Jamais nous ne céderons. »

Epifanio et moi avions immédiatement choisi notre camp. Dès les premiers jours d'avril, nos noms figuraient sur la liste des joueurs qui réclamaient de nouveaux droits. Et le 14 avril, malgré les menaces et les pressions, à l'heure de la première *quiniela*, nous avions déposé nos gants, nos casques et nos jerseys inertes sur la *cancha*.

Habité par une nuée de diables, le visage carbonisé de fureur, Gaby Barbosa jaillit des vestiaires, et au lieu de nous demander de quitter la piste normalement, comme la loi l'y autorisait, se mit à hurler et à nous couvrir d'injures : « Bandes de petites merdes communistes, vous venez de faire la plus grande connerie de votre vie. Plus jamais vous ne retrouverez de travail dans ce pays. Vous êtes sur liste noire, dans tous les États. Si vous voulez continuer à gagner votre vie, bande de connards, vous n'avez plus d'autre solution que de rentrer dans vos petits pays misérables où vous mangerez votre merde. En attendant on ne veut plus vous voir ici. Jamais. Bennett et Ellis ont été très clairs : tout le monde dehors. Mais pour nous, la partie continue. Ce soir on rouvre. *Grand Opening*, *happy hours* et compagnie. On a trouvé des gamins qui sont ravis de jouer pour ce qu'on leur propose. On est allés les chercher chez vous, putain, chez vous, au Pays basque. C'est peut-être vos gosses qui vont vous la mettre au fond. Allez, barrez-vous, et allez-vous faire sucer par vos syndicalistes. *Montón*… »

Une fois encore, Gaby était allé trop loin et l'un de nous, d'un direct à la face, lui enfonça les arêtes de son insulte au fond de la gorge. Ensuite, une mêlée désordonnée s'organisa sur la *cancha*, une sorte de maul erratique, bête sauvage aveugle, à l'homogène toison tissée de grévistes et de « jaunes », d'où partaient des rafales de coups hasardeux atteignant des cibles non identifiées et mouvantes.

À l'heure des comptes, lorsque le représentant du syndicat vint à Miami évaluer le rapport de force et dénombrer exactement les grévistes, nous nous aperçûmes que contrairement à ce que nous pensions, la World Jaï-Alaï – avec Ellis et son tranchoir de boucher – était parvenue à nous couper en deux. Nous étions divisés. Les Basques étaient divisés, les Sud-Américains l'étaient aussi, les Cubains, les deux Philippins, et même les New-Yorkais qui d'habitude ne faisaient qu'un. Nervioso ne tenait plus en place. Au fil des jours il était devenu l'un des meneurs de la révolte. Il disait qu'il fallait être ferme et ne pas transiger, que si nous tenions bon les patrons lâcheraient en moins d'un mois. Contrairement à ce que croyait mon ami, en raison à la fois de la rigidité sociale et de l'élasticité financière de la World Jaï-Alaï Inc., la grève s'étira sur dix-huit mois, appauvrit la qualité du jeu, n'enrichit guère les joueurs et provoqua l'exode des meilleurs d'entre eux. Déjà dans les années 60, les patrons avaient montré leur « savoir-faire » et leur intransigeance. Confrontés à une grève lancée pour des motifs identiques, ils avaient d'abord essayé de faire traîner les choses, puis, un matin, parce que c'était dans leurs gènes, avaient licencié d'un seul et unique coup de sabre les 160 meilleurs joueurs du monde. Une semaine plus tard les affaires reprenaient avec 160 pelotaris de troisième zone ramassés un peu partout.

Loin d'envisager une pareille issue, en cette fin du mois d'avril 1988 nous bivouaquions nuit et jour devant le Jaï-alaï, attachés aux piquets de grève censés délimiter les contours de notre dignité et de notre détermination. Mais très vite des incidents de frontières éclatèrent. Des affrontements violents opposèrent d'abord les grévistes aux « jaunes » qui allaient jouer à notre place et nous narguaient en passant tous les jours sous notre nez, et ensuite aux spectateurs qui, eux, ne voulaient rien entendre de nos affaires, se moquaient de nos différends avec les non-grévistes et voulaient seulement mettre leurs économies sur les chevaux de course qui couraient ce jour-là. Peu leur importait leurs noms et leurs origines pourvu qu'ils ne soient pas communistes.

Je ne reconnaissais plus Epifanio. En quelques semaines le jouisseur plus léger que l'hélium s'était mué en membre de Politburo, stratège de coin de rue, inspirant à un journaliste du *Miami Herald* des tribunes de soutien aux grévistes, distribuant des torgnoles au premier « jaune » venu, scandant des slogans, brandissant des pancartes et semblant avoir oublié jusqu'à la signification de ce qui était jusque-là son unique credo, « *quimbar y singar* ».

Je pris ma part dans les piquets de grève, mais je devais aussi m'occuper de trouver rapidement un travail si je voulais continuer à vivre ici. Mon héritage n'était toujours pas réglé et devait se balader quelque part entre l'étude d'un notaire consciencieux et les bureaux vétilleux de la Caisse des dépôts et consignations.

À mesure que passaient les jours, Epifanio prenait de l'assurance, et du galon à l'intérieur du syndicat. Profitant de la jeunesse de l'organisation, il en était devenu le représentant local. À ce titre il avait rencontré Bennett et surtout Giles Ellis, le grand patron, qui l'avait convoqué à l'étage du Jaï-alaï. Il s'était assis face à lui et avait juste demandé quel était le montant annuel de son contrat, primes comprises. Il avait noté la somme sur un bout de papier, l'avait glissé dans la poche avant de quitter la pièce sans un regard ou un mot pour mon ami. Croyant qu'Ellis s'était absenté du bureau pour passer un coup de fil ou vérifier quelque chose, Epifanio resta là, pendant plus d'une demi-heure, face à un fauteuil vide. Jusqu'à ce qu'un type entre dans la pièce, baisse les stores à lamelles et lui dise, en ramassant des dossiers : « Il faut vous en aller maintenant. Mr Ellis est reparti à Tampa. »

Je mesurai combien les événements pouvaient, en quelques semaines, transformer un homme, refabriquer son mental avec des envies, des désirs et des besoins radicalement différents. Le langage de Joey avait subi les mêmes transformations. On l'eût dit retravaillé, enrichi par un vocabulaire plus orthodoxe, presque conventionnel. Mais ce qui m'avait le plus surpris depuis sa nomination de représentant syndical, c'était de voir avec quelle rapidité Epifanio s'était débarrassé de Nervioso. Son *habitus* n'était plus le même. La gestuelle, contrôlée, l'agitation, réfrénée. L'exaltation, disparue. Et la joie de vivre, me semblait-il, avec elle. Comme si Barbosa et Ellis l'avaient dépouillé de cette pile à combustion qui décuplait son énergie, le rendait inaccessible à la mélancolie et bien trop agité pour offrir la moindre prise au malheur. Le soir de son rendez-vous avec Ellis, il était venu me voir à la maison pour me raconter comment les choses s'étaient passées. Il était vidé, désemparé face à ce qui venait de lui arriver. « Comment peut-on traiter quelqu'un comme ça ? Le faire venir, poser une question et s'en aller sans le regarder. Depuis tout à l'heure je me demande pourquoi il a fait ça. À quoi ça sert, à quoi ça lui sert ? Ce type-là, riche à milliards, patron de la World Jaï-alaï Inc. vient de Tampa pour me rencontrer en pleine grève. Il entre dans la pièce, ne me pose pas une seule question sur nos revendications et me demande seulement combien je gagne. Et sans rien dire, il se lève et rentre chez lui. Si c'était le montant de mon contrat qui l'intéressait vraiment, il avait qu'à téléphoner à Barbosa. Non, il a juste fait le voyage pour m'humilier, pour nous humilier tous, bien nous montrer qu'il était le patron et qu'il nous prenait pour des merdes. C'est ça que je ne comprends pas, tu vois, qu'un type comme lui qui a tout, s'acharne contre nous, qui n'avons presque rien. »

Watson était assis devant mon ami dans l'exacte posture du Jack Russell de *La Voix de son Maître*. On aurait dit que dans sa tête de chien il suivait pas à pas ces histoires d'hommes dont il pouvait, à la rigueur, comprendre le cheminement mais sur lesquelles il butait dès qu'il considérait les mécanismes à complication de leur univers.

Nous sommes allés boire un verre dans un café du quartier cubain accompagnés par le chien. Il y avait de la musique américaine, du tabac de Virginie, des bières mexicaines et du café de Colombie. De jolies filles riaient en dévoilant leurs dents faites pour mordre dans la vie. Elles portaient des robes latines confectionnées pour danser et qui ne dissimulaient qu'une infime partie de leur corps. Epifanio n'eut pas un regard pour elles. Il était songeur, en proie à une sorte de lassitude. Il demeurait assis à mon côté, mais semblait encore attendre le retour d'Ellis. Couché près de moi, Watson regardait les moineaux de nuit qui picoraient des miettes entre les tables.

Cette soirée fut empreinte de tristesse, chacun restant prisonnier de ses émotions, incapable d'interférer avec celles de l'autre. Le lendemain fut en revanche un jour de chance qui m'offrit un travail de serveur de luxe – d'avantageux pourboires et un train de sénateur – chez Wolfie's, le seul restaurant digne de ce nom à Miami Beach. Non que la cuisine y fût exceptionnelle – on y avalait surtout des foies de poulet, du pastrami, du coleslaw et du cheese-cake – mais cet endroit, comme le Jaï-alaï, avait, chose rare dans ce pays, son histoire, ses flamboyances, ses extravagances et des clients parfois recherchés par toutes les polices d'Amérique.

Situé sur Collins Avenue, à l'angle de la 21e Rue, ce *diner* ouvert 24 heures sur 24, encore en livrée d'époque, fut fondé en 1940 par un certain Wilfred Cohen, qui avait l'art et le don d'acheter et de revendre toutes sortes de restaurants acquis pour la plupart au bord de la faillite avant d'être repulpés et ensuite rétrocédés au plus haut de leur succès. Mais la plus remarquable, la plus durable aussi de ses réussites fut l'enseigne Wolfie's, qui n'était autre que le diminutif de son prénom. L'envolée de ce *Jewish deli* se produisit après la Seconde Guerre mondiale avec le retour des vétérans mais aussi l'arrivée au soleil de très nombreux retraités juifs new-yorkais. Situé près des résidences art déco, des hôtels rénovés, des théâtres et des salles de boxe, Wolfie's devint l'un de ces endroits où l'on pouvait se fabriquer une autre vie le temps d'un repas à trois sous, où les choses étaient encore telles que nos pères les avaient connues, où les salades semblaient avoir poussé dans l'assiette. Le bacon fumait entre les cigarettes, les femmes souriaient aux hommes qui les trouvaient, comme autrefois, *gorgeous*. À toute heure de la nuit, brillait de la lumière et se côtoyaient des gens venus chercher bien autre chose que le réconfort d'un repas. On éprouvait une sorte de bien-être familial, de réassurance. Même chez les candidats démocrates qui, en ces terres républicaines, n'en finissaient pas de se relayer à l'année pour courtiser le vote juif, mais aussi satisfaire leur gourmandise. Des femmes qui ne s'en laissaient pas compter, des types singuliers qui ne touchaient pas à leur assiette, des voyageurs célèbres partout chez eux, des vieux fumant encore des cigarettes Gold Coast, tous venaient ici faire escale et le plein de ce qui ressemblait à un peu d'humanité. Y compris les bookmakers et les gangsters. L'un des plus célèbres d'entre eux, Meyer Lansky, surnommé « *Mastermind of the Mob* », l'un des fondateurs de Las Vegas et qui fut ensuite à la tête d'un véritable empire criminel, venait régulièrement manger cheese-cake et pastrami, seul, tranquillement, la nuit venue.

Mais le fait de gloire de Wolfie's, petit *diner* de pacotille, se produisit en 1959, lorsque, considérant la réputation grésillante de l'endroit et à la demande de ses passagers, la compagnie d'aviation Northeast Airlines confia à Wilfred Cohen le soin de préparer, « à sa façon », la nourriture servie à bord des vols Miami-New York.

C'est donc dans cette maison que j'allais travailler. Dans les pas de Lansky, parmi les ombres portées de Milton Berle ou d'Henry Youngman, et sous les ordres de son actuelle directrice Ingvild Lunde.

La vie, à l'époque, était simple. Un joueur en grève qui habitait à deux pas de Wolfie's m'avait dit, la veille, que le restaurant cherchait quelqu'un. J'avais appelé, deux heures après j'étais engagé et dès le lendemain je prenais mon service. Cinq ou six jours par semaine de 9 heures du soir à 3 heures du matin. Simple.

Les horaires de ce travail étaient moelleux pour moi. Ils

s'inscrivaient naturellement dans ma journée, n'en déformaient pas le cours. J'entrais en fonction à un moment où l'intensité du service était encore élevée mais déclinait très vite passé 22 heures. Ensuite, à mesure que la nuit avançait, la clientèle changeait et les veufs remplaçaient les tablées de familles. Au-delà de minuit, beaucoup de solitaires venaient là parce qu'ils n'avaient personne à qui parler et pas d'autre endroit où aller. Ils commandaient une bricole qu'ils négligeaient le plus souvent, fumaient une cigarette ou échangeaient quelques mots avec les serveuses les plus âgées qui en retour leur donnaient du *darling*, ce « chéri » à l'ancienne, plus proche d'un « très cher » amical, plaisamment familier, presque affectueux.

J'entrai dans cette valse sans appréhension ni inquiétude, comme si j'avais porté des plats, servi des boissons et relevé des commandes à longueur de jeunesse. À heures fixes, je me glissais dans ce petit monde qui tenait sur la carte des menus. Les jours passaient, mais les plats, les sauces, le coleslaw, eux, ne changeaient jamais. Une sorte d'éternité qui recommencerait chaque matin. Il y avait ce client qui tous les soirs venait s'asseoir au comptoir vers 1 heure, commandait un verre, réfléchissant à la meilleure façon de se débarrasser de la nuée de papillons qui volaient dans sa tête, puis, les yeux presque clos, comme s'il s'apprêtait à savourer un bon moment, disait à la serveuse : « À quelle heure tu finis ce soir ma Rosy ? (Elle ne s'était évidemment jamais prénommée Rosy.) À 2 heures ? Je t'attendrai. Je t'attendrai dehors. Et tu sais pourquoi. Parce que ce soir, c'est le grand soir. Je vais te la mettre. Te la mettre au fond, putain, tu vois où je veux dire ? Bien te l'enfoncer dans le cul, ma chérie. Et toi, tu vas t'occuper de me vider tout ce que j'ai dans les roues. Tu le sais ça, ma Rosy. »

L'homme parlait à voix basse pour que rien de tout cela ne filtre de leur cercle restreint. Sa voix était douce, marbrée d'alcool, comme celle d'un ivrogne amoureux. La première fois j'avais été très surpris de l'indifférence de la fameuse « Rosy » face à de telles promesses énoncées sans gêne ni retenue dans un endroit pareil. Et puis elle m'avait raconté l'histoire de cet homme. « Cela fait des années qu'il vient tous les soirs vers cette heure-ci. On voit qu'il a déjà pris pas mal de verres. Il s'assoit, réfléchit un moment et commence son petit discours. Toujours le même. Au début, je n'étais pas rassurée, au point que je demandais toujours à quelqu'un de me raccompagner chez moi. Ça ne manque pas de dingues dans le quartier. Et puis je me suis habituée à ses histoires. Je finis par ne plus les entendre. On voit bien que ce gars-là n'a plus toute sa tête. Cela fait des années qu'il me promet monts et merveilles, mais sur le trottoir, à 2 heures, il n'y a jamais personne. » Elle parlait de l'inconnu avec amusement et ne lui faisait aucun grief de ses écarts de langage. Pour elle, il était le type-d'une-heure-du-matin, celui qui l'avait rebaptisée Rosy, et venait relâcher un peu de pression avant de retourner chez lui. Ce n'était pas plus grave que ça. Pas plus grave qu'une famille de six, un samedi, avec des gosses horribles et impossibles qui veulent toujours plus de quelque chose, balancent des frites partout et vous laissent des tables aussi grasses que le sol d'un garage.

Son client, « Rosy » l'avait baptisé « de Niro », parce qu'il avait à peu près son âge, cette même tête de springer fatigué par on ne sait trop quoi et cet air de se foutre du monde et de tellement d'autres choses.

Et puis Wolfie's, c'était surtout Ingvild Lunde, la directrice de l'établissement. La langue anglaise n'avait qu'un mot

– qui était d'ailleurs superbe – pour la définir : *gorgeous*. Ingvild Lunde était splendide. D'origine norvégienne, cette femme de 58 ans menait cet endroit avec l'élégance d'une cavalière chevronnée habituée aux fantaisies de sa monture. Elle n'élevait jamais la voix, apaisait tous les différends entre les employés, respectait leurs horaires, comprenait leur fatigue, excusait leurs absences. Pendant le service, elle circulait de table en table pour s'assurer du bien-être de chacun, et vérifier que la nourriture était au goût de tous. Elle avait toujours un mot, une attention ou un compliment à l'intention des vieux clients qui, pour certains, lui vouaient une passion secrète. C'était dans l'ordre des choses puisque cette Ingvild Lunde incarnait à peu près tout ce à quoi peut rêver un homme depuis son adolescence, à savoir un être symbiotique ayant à la fois la taille de son père et le corps de sa mère. Celui d'Ingvild, que l'on eût dit emprunté à Anita Ekberg, se dissimulait dans des vêtements élégants mais d'une sobriété telle qu'elle atténuait la munificence de ses formes. Pour le reste, tout n'était que perfection et surprise, car sur ce corps de Nordique, on avait déposé un visage de marrane, ces juives ibériques converties au catholicisme. Maquillée *a minima*, on remarquait d'abord la finesse de ses traits et la quasi-translucidité de la peau. Si les saintes existaient, elles auraient cette carnation. L'œil, d'un vert sombre, était marbré de noir, la chevelure châtain s'enroulait en un chignon bien éloigné d'Oslo. Dès l'instant où je suis entré chez Wolfie's, je suis tombé amoureux de madame Lunde.

Je bénissais la grève, les salopards de la World Jaï-alaï Inc., Barbosa, mon notaire et la Caisse des dépôts et consignations d'avoir collaboré, à des degrés divers, pour m'envoyer dans ce restaurant sur Collins Avenue, cette formidable gargote, ex-fournisseur officiel de Northeast Airlines et de Meyer Lansky. M'y rendre était un pur bonheur. Mon chien n'en revenait pas. Il ignorait que chaque nuit, quand je prenais mon service, madame Lunde était encore là. Je profitais de sa présence jusqu'aux alentours de 1 h 30 du matin. Ensuite, elle rentrait à son domicile.

Je savais qu'il n'y avait pas de monsieur Lunde et que la directrice habitait dans un vieil immeuble Tropical Art Déco, le Delano, dessiné en 1947 par Robert Swartburg, bâtisseur frénétique et stylé qui conçut le palais de justice de Miami, son Palais des Congrès, des bibliothèques, plusieurs écoles et le Civic Center de Miami Beach. On disait que la mémoire de Roosevelt rôdait dans les escaliers de cet immeuble construit à l'origine pour héberger des soldats et ainsi baptisé pour commémorer, à sa façon, l'attentat du 15 février 1933 dans lequel le président faillit perdre la vie.

Giuseppe Zangara était un artisan maçon italien, qui, en émigrant aux États-Unis, emporta dans ses bagages bon nombre de douleurs abdominales, quelques idées fixes et deux ou trois obsessions. La plus singulière se manifesta dès son arrivée en Amérique. Elle avait le mérite d'être simple et de s'exprimer clairement : abattre le président Herbert Hoover. Mais au moment où il allait passer à l'acte, ce fut Franklin D. Roosevelt qui fut élu. Franklin Delano devint donc la nouvelle cible. Zangara habitait en Floride et le 15 février le président eut justement la mauvaise idée de s'y rendre. Au matin, Giuseppe fila chez un prêteur sur gage, y acheta un calibre 32 et se mêla à la foule venue acclamer Roosevelt. Mais il y avait un problème. Zangara était un homme de petite taille et, il avait beau se hausser sur la pointe des pieds, ses modestes mensurations ne lui permettaient pas d'apercevoir sa cible. Alors il s'affola, chercha une solution, trouva une chaise pliante en métal, grimpa maladroitement dessus au milieu de la foule et vida à la va-vite tout ce que contenait son chargeur. Le bilan sera singulier. Il blessera quatre badauds et tuera le maire de Chicago, Anton Cermak, qui dira à Roosevelt avant d'être transporté à l'hôpital : « Je suis heureux que cela ait été moi et non vous, monsieur le Président. »

Zangara, lui, fut immédiatement jugé à Miami et son procès donna lieu à d'invraisemblables échanges entre lui et le juge de la Cour. « Toutes mes pensées sont dans mon estomac. Dans mon ventre. C'est là qu'est le mal. Voyez-vous, je souffre tout le temps. Et je souffre parce que mon père m'a envoyé travailler alors que j'étais encore un petit enfant. Si je ne souffrais pas, je n'aurais pas de troubles, je ne tuerais pas de présidents. Il m'est aussi venu à l'esprit que les capitalistes étaient la cause des maux des pauvres gens. » Le tribunal ne relèvera pas cette observation bien sentie et condamnera le détenu à quatre-vingt années de prison. À la lecture de la sentence, Giuseppe Zangara se redressera comme un petit coq : « Allons, iuge, ne soyez pas pingre, donnez-moi cent ans. »

Dix-neuf jours plus tard, le maire de Chicago mourra de ses blessures. Zangara sera à nouveau inculpé, cette fois d'homicide volontaire, et rejugé illico. Durant le procès, il se plaindra à nouveau de ses douleurs abdominales, plaidera coupable et sera condamné à mort par électrocution. Avant de quitter le tribunal il dira : « Je n'ai pas peur de la chaise électrique. Je pense qu'il était juste de vouloir tuer le président. Et vous,

vous êtes un homme malhonnête, car seul un homme malhonnête peut en mettre un autre sur la chaise électrique. »

Zangara sera exécuté dix jours plus tard au pénitencier de Raiford. Juste avant de mourir il se tournera vers les témoins : « Pas de caméra pour me prendre en photo ? Bande de truands. Allez, toi, pousse le bouton. »

C'est peut-être à cause de cette histoire que le Delano devint, dans mon esprit, un immeuble totalement différent des autres. J'imaginais le petit maçon coursant le président dans les escaliers, vidant ses cartouches à tout va dans les lustres, maudissant ses coliques et, tel un Ravachol des tropiques, réclamant justice à tous les capitalistes qui éreintaient le monde. Qu'Ingvild Lunde y vécût ne faisait qu'augmenter son attractivité.

Un événement imprévu eut pour conséquence de précipiter ce que je considère être notre première rencontre. À la fin de ma deuxième semaine de travail, aux alentours de minuit, un client fit un malaise dont je n'eus pas grand mérite à identifier la cause. Cet homme était victime d'une crise d'épilepsie, avec ses deux phases tonico-cloniques parfaitement identifiables. Il n'y avait rien à faire de particulier, sinon conserver son calme, faire de la place autour du malade, le placer en position latérale, laisser passer les convulsions musculaires initiales menant à la rigidité et calculer la durée du malaise en attendant que cesse la phase clonique caractérisée par des secousses désordonnées pouvant affecter la face et les membres. Comme dans la plupart des cas, ces symptômes disparurent en un peu plus d'une minute, et l'homme revint progressivement à la conscience sans se départir d'un sentiment d'angoisse et de grand abattement. Mes gestes simples et mon calme suffirent à ramener un peu d'apaisement dans une salle où tout le monde s'était levé pour voir ce qui se passait. Maintenant il fallait laisser cet homme au calme, s'enquérir de ses antécédents et le renvoyer chez lui ou bien à l'hôpital, pour la nuit, si cela pouvait lui être d'un quelconque réconfort. Familier de ces crises, le client choisit la première solution et rentra un peu plus tard chez lui en taxi.

Étonnée par ma réaction et l'assurance dont j'avais fait preuve en la circonstance, la directrice me demanda où j'avais appris ces codes de conduite. Lorsque je lui expliquai que j'étais médecin, elle me fit un sourire d'une grande douceur et j'eus l'impression qu'elle m'accordait subitement sa confiance. Elle posa sa main sur mon avant-bras et dit : « Partez plus tôt ce soir. »

Plus tard, en passant devant le Delano je vis qu'il n'y avait que cinq ou six appartements encore éclairés. Il me tardait d'être à demain, de revenir chez Wolfie's et de reprendre mon travail.

À la maison, un message d'Epifanio m'attendait sur mon répondeur. Il y avait eu à nouveau des incidents, deux joueurs avaient été blessés et deux autres arrêtés par la police.

À mesure que passaient les jours, ma fascination pour Ingvild Lunde ne cessait de croître. J'avais confié à Joey combien cette femme pouvait me troubler. Il redevint aussitôt cette espèce de jouisseur espiègle et grossier que j'avais connu. L'armure syndicale vola en éclats au moment où je lui laissai entendre que je pouvais être amoureux de cette femme. « Amoureux de quoi, *coño*. Amoureux de son cul et encore. Tu l'as jamais vu. Qu'est-ce que tu débloques avec ta Norvégienne. Putain, elle a vingt-six ans de plus que toi. Tu veux quoi ? Baiser ta mère ? Et après vous allez aller boire une tasse de thé sur une terrasse, avec les autres petits vieux ? En plus c'est ta patronne. Et il y a une règle : on baise pas avec les patronnes. La main d'une patronne ça doit jamais rentrer dans ton slip. »

Peut-être étais-je amoureux d'Ingvild Lunde comme un adolescent peut l'être de la mère d'un de ses amis. Cette femme inaccessible qui éclipse toutes les autres, sans exception, dont la beauté n'a pas d'âge, qui vous fait transpirer en vous demandant simplement si « la 12 a bien eu ses travers de porc » et vous glace le sang d'un banal « Rentrez chez vous plus tôt ». Six heures par nuit je vivais dans cet univers, avec, dans une main, un rosbeef sauce *gravy* et, dans l'autre, une tarte aux fraises aussi grande que la Norvège. Il m'arrivait d'avoir des érections vers minuit, quand le service se calmait et que le répit post-prandial de la clientèle m'offrait le bonheur d'admirer cette incroyable Norvégienne, presque plus grande que moi, bâtie pour conquérir l'Europe ou seulement ma bite, si le vieux continent l'indifférait. Oui, je bandais comme un gosse, dissimulant sous mon tablier blanc de garçon de table cette excroissance aussi menaçante que le doigt de László Papp, mon recruteur, lorsqu'il l'avait pointé sur moi. Je pensais aussi à sa théorie sur les bonus accordés à ceux qui avaient fait allégeance. Cela supposait deux choses. D'abord qu'il y ait un Dieu, ensuite, qu'Il se soit jamais intéressé à une partie de Jaï-alaï. Si l'on considérait maintenant, d'une part, ma situation actuelle et mon désir protubérant, et d'autre part, cet hypothétique avantage de sept ou huit points qu'il était bien difficile de transposer sur le terrain de la sexualité, je ne pouvais m'empêcher de me poser cette question cruciale avant de basculer dans les bras de la foi :

a-t-il jamais existé un Dieu pour les baiseurs, un Père éternel favorisant la fornication, les intromissions, les fellations, et même, pourquoi pas, puisque les moines s'y adonnent, les légères flagellations.

C'était à des choses de cet ordre que je réfléchissais en regardant les jambes de ma patronne, mais aussi ses fesses solides, ses épaules charpentées, son cou qui semblait monter au sommet de ses cheveux coiffés en chignon et retombant en palmes. J'évitais de penser à sa poitrine. De l'imaginer ruisselante dans la fontaine de Trevi tandis qu'elle répèterait « *Marcello, Marcello, I don't want to die.* »

Mon chien et moi continuions notre vie commune. Il m'accompagnait parfois sur le bateau ou au Jaï-alaï, où il était devenu la mascotte des piquets de grève. Joey Epifanio avait essayé de lui apprendre à aboyer chaque fois qu'il voyait passer un « jaune ». Mais comment apprendre à un chien à différencier un gréviste d'un non-gréviste ? Joey essaya avec des friandises, des bouts de saucisse et des morceaux de toasts imprégnés de beurre de cacahuètes. L'échec du représentant syndical s'avéra cuisant et il fut la risée de ses collègues tout autant que de ses ennemis. Watson avala tout cela mais jamais n'aboya.

Lorsque nous allions à la plage, le chien, en revanche, se montrait plus loquace. Il ne supportait pas de me voir partir dans l'eau pour me baigner. Cela devait lui rappeler les pires moments de sa mésaventure et il ne comprenait pas que son sauveur se jette à son tour dans la gueule du monstre. Il courait à la lisière des vagues, jappant sur un timbre aigu qui s'apparentait tout autant à une plainte qu'à une supplique. Et lorsque je retournais sur le sable, il me regardait avec des yeux de gamin.

Comme une balle de jokari, mes pensées revenaient inlassablement vers la Norvège dont l'épicentre ne se situait ni à Trondheim, Lillehammer, Bergen, Stavanger et encore moins à Kristiansand ou Oslo. Le cœur de ce royaume aux longs cheveux de terre qui trempaient dans les fjords, où l'on parlait aussi bien le bokmål que le nynorsk, où l'on offrait chaque jour une pomme aux enfants, où le *reinsdyrsteik* était le plat de réconfort, était situé à l'angle de la 21e et de Collins, à n'importe quel point de la salle où se trouvait sa reine, Ingvild Lunde, locataire au Delano qui n'hésitait pas à renvoyer chez eux, avant l'heure, ses employés méritants et dévoués.

Cette femme obnubilait mes pensées. Auprès d'elle, j'oubliais le caryotype de ma famille, les rouleaux de scotch, la dernière mort du quagga, le nom de mon recruteur, celui du boxeur, du fabricant de grand chistera, c'est à peine si je distinguais Khrouchtchev, Beria et Malenkov gigoter sur la photo au bas de la page, je sentais ma main dans celle de ma mère, elle me disait des choses que tous les enfants devraient entendre, des mots qui enlèvent la peur, bouchent les trous de solitude, éloignent la crainte des dieux et vous laissent au monde avec le désir, la force et l'envie d'y vivre.

Je venais au travail avec la Karmann et parfois la chance voulait que je trouve une place de parking devant le restaurant ou juste de l'autre côté de la rue. Un soir, Ingvild me vit manœuvrer la voiture pour l'aligner devant le trottoir de chez Wolfie's. Lorsque j'eus enfilé ma tenue et pris mon service, le plus ancien des serveurs vint me voir et me dit « Il faudrait éviter de vous garer devant le restaurant. Avec votre vieille guimbarde allemande, vous allez faire fuir tous les juifs du quartier. » Puis il entra en cuisine en maugréant : « Deux Caesar, un pastrami, un rosbeef. »

La Karmann, justement, fut le médiateur inattendu qui me permit d'approcher des côtes de la Norvège. Dans la houle du service, à l'occasion d'un creux, elle me dit, sans que nous n'ayons jamais évoqué le sujet : « Il y a une quinzaine d'années, j'ai eu une voiture comme la vôtre. Un modèle automatique avec le moteur 1300. Je crois que c'est le pire coupé que j'ai jamais possédé. Ça ne freinait pas, la direction était imprécise, en été il faisait une chaleur intenable, et le bruit du moteur Volkswagen était assourdissant. » Ensuite elle me donna l'addition d'une table de Portoricains pressés d'aller s'amuser ailleurs.

Deux jours plus tard c'est encore la Karmann, un gros orage et des pluies diluviennes qui complotèrent pour nous réunir. Ingvild, parfois, ne prenait pas sa voiture pour venir au travail et rentrait chez elle à pied, au milieu de la nuit, ce qui était presque, pour une femme, un comportement anti-américain. Mais ce soir-là, le déluge l'immobilisa sur le seuil de son restaurant. Je lui proposai alors de m'absenter de mon service et de la reconduire chez elle. Tandis que l'eau balayait les essuie-glaces et tambourinait sur le toit, je bénissais Joey Epifanio d'avoir, en mon absence, ravaudé mes planchers. Les averses étaient si denses que nous avions parfois l'impression de rouler au fond d'une piscine. Je ne disais rien et de toute façon le vacarme du moteur ajouté à celui de l'orage aurait couvert le son de ma voix. Je transportais Mme Lunde. Je pouvais sentir son odeur, et sa poitrine était à un demi-bras de ma main. J'éprouvais du bonheur, de la joie, de la fierté, j'aurais voulu qu'elle habitât à Jacksonville, à l'autre bout de l'État, que la voiture tombe en panne à deux pas d'un motel et qu'ensuite tout se passe comme dans les mauvais films de genre quand un client de passage enlace une femme qui laisse aller la pellicule tant elle en a vu d'autres.

Je la déposai devant le Delano, elle dit « Heureusement que vous étiez là », le moteur continua de tourner, Mme Lunde monta le grand escalier et disparut dans le hall de l'entrée.

La tempête dura deux jours et deux nuits. L'eau jaillissait des gouttières, engorgeait les caniveaux et formait de véritables bassins dans tous les affaissements de la chaussée. Au Jaï-alaï, les joueurs grévistes avaient aménagé des abris provisoires avec des bâches de chantier. Vêtus de leurs cirés, sous les rafales de pluie qui leur donnaient des allures de pêcheurs de morue, ils continuaient de harceler leurs remplaçants. Les plus jeunes, à peine arrivés du Pays basque, découvraient la part d'ombre de ce jeu transformé en société commerciale passant les siens au laminoir des banques et couchant sur liste noire les noms de ses meilleurs enfants. Epifanio continuait ses vocalises, s'adressant indifféremment à tous ces joueurs, jeunes ou plus anciens. Il essayait de leur dire tout le mal qu'ils étaient en train de faire, en prenant le travail des autres, en offrant une main-d'œuvre au rabais à la « Inc. ». L'appeler la « Inc. », pour « Incorporated », était sa nouvelle manière de stigmatiser la World Jaï-alaï. La « Inc. » n'incorporait rien ni personne, elle licenciait, soldait, balançait ceux qui lui avaient permis d'exister. Elle dépeçait un monde ancien fait de buis et d'osier, elle l'écorchait à vif, avec ses ustensiles de boucher, de désosseurs.

Les journaux, le *Miami Herald*, le *Sentinel* d'Orlando, le *Tampa Bay Business Journal*, publiaient tribunes et articles sur les différents aspects de la grève. Mais tous manifestaient aussi le même tropisme pour un sujet qui obsédait la « Inc. » : l'impact du mouvement sur l'économie des paris. Les jeunes Basques ou Argentins qui venaient d'arriver ne soupçonnaient pas la taille du chaudron à dollars qui bouillait sous la *cancha*.

Sachant que je faisais partie des pelotaris en grève, et me tendant un magazine qui avait publié un long article sur le sujet, Ingvild me dit : « Vous ne gagnerez pas, je connais ces sortes de gens. Ils sont en train de recalculer le monde, d'établir de nouvelles règles. Ce sont des molochs sourds et aveugles qui dévorent leurs propres enfants. Mon frère, Magnus, construisait des maisons et ils ont ruiné sa vie. Quand il parlait de ces hommes, Magnus disait : “Ils veulent d'abord le pouvoir, puis les choses, puis les hommes, puis le temps, s'emparer de chaque heure, faire suer chaque minute.” Bientôt, des endroits comme le vôtre ou comme celui-ci n'existeront plus. Même s'ils nous paraissent pleins de vie, ce sont à leurs yeux des univers trop lents. » Elle prit un temps, sembla se déprendre d'une pensée morose, but une gorgée de soda, et me tendit l'article intitulé « Qu'est-il arrivé au Jaï-alaï ? » et sous-titré « Regards sur un sport en train de mourir ». « Vous lirez ça ce soir. »

Si Epifanio avait été là, s'il avait entendu Ingvild Lunde traiter ainsi avec le Capital, défendre nos vies avec des phrases gravées dans le marbre de tous les praesidiums, il se serait tourné vers moi affichant sa mine officielle de représentant syndical et aurait dit, admiratif, « *Puta madre, tiene huevos !* ».

Exactement, comme on le dit à Cuba, d'un homme courageux qui, forcément, en possède aussi.

Cela faisait un mois que je travaillais chez Wolfie's. Le matin, je passais voir Epifanio, l'après-midi, je me baladais avec mon chien. À la nuit tombée j'allais au travail servir des plats garnis grands pourvoyeurs de triglycérides. Et j'admirais la Norvège, dans toute son étendue et sa splendeur, et cette femme de 58 ans me semblait chaque soir plus belle, plus attirante, plus désirable, plus subtile. J'aimais sa façon de dire les choses, son accent septentrional, et son air de sous-entendre que tout cela n'avait finalement pas grande importance car, de toute manière, c'était toujours la mort qui gagnait à la fin. Sans doute était-ce là une interprétation un peu trop personnelle inspirée par cette indécrottable propension familiale à quitter le théâtre avant la fin de la pièce. Il n'y avait rien dans les yeux d'Ingvild qui pût me rappeler les éclats de démence que je percevais parfois dans ceux de mes détraqués familiaux. Tout au plus, accentué par la fatigue, son regard se voilait-il parfois d'un léger désenchantement.

Au Jaï-alaï, à mesure que les semaines passaient, les protagonistes se figeaient dans une dramaturgie dont l'auteur serait brutalement parti en vacances. Un monde prisonnier de son sort, enfermé dans sa résine. Tous les Jaï-alaï de Floride étaient fermés, seuls Miami et Tampa grâce à de massives perfusions de « jaunes » maintenaient encore un mince filet de paris.

J'avais reçu un courrier du notaire de Toulouse m'informant d'une évaluation des sommes à payer aux impôts afin de pouvoir libérer mon héritage. « Compte tenu du taux applicable, je crains que la totalité des liquidités et de l'épargne disponibles soit nécessaire pour couvrir le montant fiscal de votre succession. En revanche, et cela est une nouvelle réconfortante, je suis à peu près certain que vous pourrez conserver votre maison. » Comment aurait-il pu en être autrement ? Qu'est-ce que le service des impôts aurait bien pu faire de la vieille tranche de Staline, des doubles SU surannés de la Triumph ou du compteur brisé de l'Ariel que ma mère avait tenu à conserver après le crash ? Il n'y avait que de la souffrance à récupérer à notre adresse, rien qui vaille que l'on déplace un agent évaluateur.

Les chaleurs de mai commençaient à faire grimper la température de l'océan. Ingvild et moi avions de plus en plus souvent de brèves conversations lors des périodes calmes du début de la nuit. Elle me racontait quelquefois des épisodes de sa jeunesse avec son frère Magnus, dont il était difficile de deviner s'il était encore en vie, tant elle utilisait le passé pour l'évoquer. Je lui parlais du Pays basque, des théories de la foi selon Papp, mais l'histoire qu'elle adorait et qui la mettait en joie était celle de ce monsieur Labit, explorateur en tout genre qui, après avoir bravé bien des dangers sur la planète, était mort, la bite tranchée par un ex-« beau-frère » ombrageux, à l'orée de son mariage. Je n'imaginais pas la Norvège s'enticher à ce point de l'étrange destin qu'avait connu mon presque voisin. Et quand je lui traduisis son nom en anglais, elle en conclut, décidément, qu'il n'y avait que les Français pour soigner à ce point les détails et la finition.

La fréquence de ces échanges me rendait Ingvild accessible. Au début, de simples mots, maintenant, des conversations ; l'avenir était gorgé de possibles.

Avant de partir, vers 2 heures du matin, madame Lunde salua rapidement, comme elle le faisait tous les soirs, le personnel de l'établissement. Lorsqu'elle passa devant moi, elle dit : « Vous me déposez. » Je ne sus jamais si elle avait prononcé cette phrase sur le mode interrogatif, mais j'eus le sentiment que ce soir-là, Watson risquait de m'attendre longtemps.

Rien ne se passa comme dans les mauvais films. Il n'y eut ni motel usagé, ni panne de voiture. Tout se déroula au Delano, dans une chambre donnant sur les lumières de la ville qu'éteignirent les premières lueurs de l'aube. Je cherchai à comprendre comment les choses avaient pu tourner ainsi, par quel miracle j'avais pu infirmer à ce point le théorème de Papp.

Au lever du jour Ingvild dormait comme une enfant qui commence sa nuit. Je pensai au bonheur d'être en vie, à cet incroyable chemin que je venais de faire.

Je regardais le cul d'Ingvild qui, lui, regardait poindre le jour. L'ordre des choses se mettait peu à peu en place. Ce monde était presque parfait, si ce n'était mon chien qui m'attendait.

Chaque soir, dès que je franchissais le seuil du restaurant, je redevenais un employé sans histoire, un type qui faisait ses horaires, prenait les commandes, passait les plats, vidait les assiettes, venait régulièrement chercher ses additions auprès de sa directrice et, le cas échéant, savait calmer le haut-mal des épileptiques. Aucune parole, aucune attitude de ma part ne devait laisser penser que quelques heures auparavant, j'embrassais la chatte de la directrice et qu'elle réclamait fermement son plaisir en langue bokmål à moins que ce ne fût en nynorsk. Chez Wolfie's j'étais soumis à une obligation de réserve qui n'excluait cependant pas que je me livre, en toute discrétion, à mes petits exercices d'admiration.

Cela dura jusqu'à l'été, deux mois dans la perfection du bonheur, deux mois d'une passion éblouissante, usant chaque nuit, chaque journée jusqu'à la trame, laissant l'esprit fiévreux et les corps recrus. J'aurais pu vivre ainsi pendant des siècles et des siècles jusqu'à ce que se rompe le filament de la vie.

Mais cette éternité à laquelle j'avais pourtant souscrit ne dura que soixante jours.

Une nuit, en rentrant du restaurant, Ingvild m'attendait comme d'habitude au Delano. Elle ouvrit la porte mais me demanda de demeurer dans l'entrée, de ne pas m'installer au salon, de rester debout, là, dehors, parce que cela rendrait les choses plus faciles. Voilà. Il ne fallait plus que je vienne ici. Il ne fallait plus que je travaille au restaurant. Il ne fallait plus que je la voie. Il ne fallait plus que je l'aime, que je la désire, que je la touche, que je pense à elle. Il ne fallait plus que je me déshabille devant elle. C'était ainsi et il n'y avait rien à dire de plus. Rien à expliquer. *Muss es sein ? Es muss sein.* Cela doit-il être ? Cela est.

Devant mon désarroi, elle me prit dans ses bras, exactement comme ma mère l'avait fait quelquefois durant notre vie commune, avec cette maladresse, cet embarras que l'on éprouve lorsque l'on tient contre soi un animal dont on ne sait plus quoi faire.

Je ne savais pas pourquoi j'avais été interdit de séjour en Norvège du jour au lendemain. Je tentai à plusieurs reprises d'obtenir des explications par téléphone ou par courrier, mais en vain. Je fus longtemps dévasté par cette issue brutale suivie d'un silence minéral. Je butais contre un mur de pierre, cette invisible frontière puis, de guerre lasse, je rentrai dans le rang, me soumis à la règle commune d'une existence ordinaire, ne conservant que l'infime droit de chérir à jamais dans ma mémoire les jours de bonheur vécus à parcourir ce sublime royaume.

« Les femmes, elles sont pas comme nous. Elles ont un cerveau différent. Il se passe de drôles de choses dans leur tête, des choses que tu ne peux ni envisager ni comprendre. Des fois on dirait qu'elles ont la possibilité de lire dans le futur, de voir ce qui va arriver. Et c'est pour ça qu'on comprend pas ce qu'elles font et pourquoi elles le font. En réalité, elles anticipent, *amigo*. Elles anticipent. Justement pour ne pas avoir à subir les conséquences de toutes les conneries que, nous, on a déjà en tête sans le savoir. Ta patronne tu sais pourquoi elle t'a congédié ? Parce qu'elle savait que bientôt tu allais l'appeler maman. Vingt-six ans, *puta madre*, vingt-six putains d'années. »

Pour Epifanio le cœur de l'histoire était là. Obscurément, l'homme aime avoir l'illusion de pouvoir se reproduire. Et chacun sait que l'on n'enfante pas sa mère. Sa reptilienne théorie était aussi ridicule que les génuflexions bienfaitrices de László Papp. Je ne croyais en rien sinon au miracle des derniers mois que je venais de vivre grâce à une femme unique que les années rendaient chaque jour plus belle et attirante.

Les juifs de la 21e Rue et des suivantes pouvaient tranquillement revenir dîner chez Wolfie's, ma vieille voiture allemande ne serait plus garée devant, le long du trottoir.

L'APPRENTISSAGE

Durant ce long printemps, j'avais cru posséder le trousseau magique capable d'ouvrir toutes les portes du bonheur ou, à tout le moins, chacun des ingrédients hétéroclites qui le composaient. Et du jour au lendemain je n'eus plus en poche que quatre clés basiques. Celle, portant le sigle Volkswagen, qui débloquait le Neiman de la Karmann, celle de la maison de Toulouse avec laquelle on pouvait assommer un homme, la troisième, à tête plastifiée, ouvrant mon appartement de Hialeah, et la dernière, celle de mon bateau, surmontée d'un embout de liège censé lui assurer un temps de flottaison si, par mégarde, elle tombait à l'eau.

Un trousseau énorme, puis quatre clés. Les dimensions du monde s'étaient soudainement rétractées. Mon chien ne s'en plaignait pas, sinon qu'il ne comprenait pas pourquoi, le soir je pleurais parfois en feuilletant un magazine.

Sans travail, congédié de chez Wolfie's, l'argent se faisant rare, il était évident que la vie me montrait, elle aussi, la porte de sortie de ce territoire de l'éphémère dans lequel j'avais cru pouvoir m'installer à demeure. Il n'y avait plus rien ici pour moi. La grève s'enkystait chaque jour davantage comme un mauvais abcès, et les quelques emplois de substitution auxquels je pouvais prétendre étaient offerts par des directeurs américains de taille moyenne qui n'avaient jamais mis les pieds au Studenterlunden Park d'Oslo, ne manquaient jamais un match des Dolphins, et gardaient à portée de main leur paire de *huevos*. Il leur manquait tellement d'autres choses que leurs offres ne pouvaient pas être prises en compte.

Vint donc le moment où la réalité rattrapa mes petites fictions. Je devais rentrer en France et m'accoutumer à cette mauvaise pensée qui depuis quelque temps tournait dans ma tête : rouvrir le cabinet paternel. Je refusai cette éventualité comme on récuse un mal de dents en gésine, mais au fond de moi je savais que l'abcès était là, pulsant discrètement, et menaçant.

Lorsque j'annonçai ma décision à Epifanio, il éclata de rire : « Arrête tes conneries, *coño*. Tu es dingo, *no* ? Ta Norvégienne t'a congelé le cerveau, c'est pas possible. Putain regarde-toi. Tu es fait pour faire de la médecine comme moi pour écorcher les chats. Tu te vois mettre un doigt dans le cul de Chupetón pour vérifier sa mécanique ? Toi, tu es fait pour rester ici, être mon ami et jouer quand ça va reprendre, parce que ça va reprendre, *amigo*, ça va reprendre. »

Une semaine plus tard, j'invitai Epifanio à dîner dans un restaurant qui préparait de la raie et du requin avec un riz brun et une sauce épicée qui faisait monter les larmes aux yeux.

À la fin du repas je lui annonçai la date de mon départ. Je posai aussi sur la table les clés de la Karmann et de mon bateau. Il y avait également un formulaire administratif rempli pour qu'il puisse mettre ces deux engins à son nom. Deux modestes cadeaux, mais je vis que mon ami leur attribuait une valeur bien différente quand ses yeux s'embuèrent de larmes : « Tu es vraiment un sacré type, Pablito. Le type le plus adorable que j'ai jamais connu. J'en prendrai soin, crois-moi. On ne m'a jamais offert des choses comme ça. Une voiture et un bateau, *puta madre.* » La sauce épicée faisait un tel effet qu'il finit par me serrer longuement dans ses bras. « Je sais que tu reviendras, *amigo.* Quand la grève sera finie, quand on aura gagné, tu reviendras. Et la Karmann et le bateau seront là. Ils t'attendront le temps qu'il faudra. »

Epifanio me conduisit à l'aéroport dans mon ex-voiture. Le chien savait qu'il allait une nouvelle fois traverser le ciel dans une cage. Sans doute se demandait-il pourquoi son sauveur avait la bougeotte, à la recherche de complications, alors que le bonheur était là, à l'angle de la 21e Rue et de Collins.

À Toulouse, l'automne était agréable. Le jardin de la maison avait perdu de sa superbe, ratatiné par le manque de soin et la sécheresse. L'été avait été brûlant et l'on pouvait encore mesurer l'intensité de ces chaleurs en observant le flétrissement ou le jaunissement prématuré de certaines espèces. Quand j'entrai dans la maison, je sus immédiatement que je me trouvais là où j'avais grandi. Malgré les remugles de renfermé, je retrouvais l'odeur de la famille, ce parfum où se mêlaient les effluves des Gallieni et des Katrakilis, ce maelström d'émanations corporelles, de fumets de cuisine, de pensées nauséabondes, de passé formolé, de gaz d'échappement, de désinfectants alcoolisés – tout cela imprégnait le plâtre des murs, la trame des rideaux, les plis des tentures. Tous mes parents étaient là, présents comme ils l'avaient toujours été. J'allais continuer d'habiter chez eux, je le savais avant d'avoir passé le portail, d'avoir poussé cette porte.

J'ouvris en grand toutes les fenêtres et la tiédeur du soir

prit peu à peu place dans la demeure. Sa démesure me changeait de l'exiguïté de mon appartement de Floride. En comparaison, vivre ici, monter et descendre les escaliers, passer d'une pièce à l'autre, était en soi une forme d'activité sportive. Encore sonné par le voyage, Watson contemplait sa nouvelle maison avec perplexité, essayant de retrouver quelques repères de son ancien séjour, regardant à droite et à gauche, soupesant l'affaire à la manière d'un locataire se demandant si oui ou non il allait signer le bail.

La première soirée d'installation fut assez laborieuse. Les réseaux avaient été rétablis mais la remise en route des chauffe-bains et de plusieurs systèmes électriques demanda plus d'attention en raison de leur longue période d'inactivité. Je mangeai trois fois rien et mon chien toucha à peine à son dîner. Les voyages n'étaient pas notre fort. Nous n'étions pas faits pour déménager, quitter un nouveau monde pour en retrouver un vieux, même si à bien des égards le plus ancien des deux n'était pas celui que l'on pensait.

Comme la Floride était une enclave latine en Amérique, Toulouse s'apparentait à une principauté d'Espagne que les exilés de ce pays avaient d'ailleurs choisie pour capitale pendant la guerre. Il suffisait de feuilleter un annuaire téléphonique pour comprendre que, d'une certaine façon, nous vivions tous un peu de l'autre côté de la frontière et que les Ramblas ou la fontaine de Cybèle nous étaient en tous points plus proches et familières que les arches du Petit comme du Grand Palais. C'est pourquoi je n'aurais pas été autrement étonné de voir Epifanio passer la porte et me lancer un « *Hola qué tal* ».

Minuit. C'était l'heure à laquelle, chez Wolfie's, la tension retombait, l'heure à laquelle Ingvild Lunde passait de table en table saluer ses clients de la nuit. Mon licenciement datait maintenant d'un mois et j'étais encore bien loin de la résilience. Je ne comprenais pas pourquoi ma patronne m'avait si brutalement signifié ce congé sans préavis. Ce soir-là, perdu dans la maison où j'étais né, je fis ce que, d'après Epifanio, un homme ne devrait jamais faire. Je décrochai le téléphone et composai le numéro de chez Wolfie's.

Ingvild décrocha, je gardai le silence, profitant du bruit de fond d'une salle que je pouvais presque toucher, sentant l'odeur du bacon frit et du pastrami, bénissant la compagnie téléphonique pour ces instants, faisant suer chaque seconde, comme le disait son frère Magnus. Ensuite, je raccrochai. Mon cœur se débarrassa de quelques extra-systoles et j'eus, un instant, l'impression de respirer plus librement. En réalité je n'avais jamais été aussi captif.

Ensuite la maison et tout ce qu'elle contenait me tomba dessus. Les plafonds s'écroulèrent, avec ce que l'on avait entassé dans les greniers, les vieilleries et les lunes de cette famille de cinglés alignés à la morgue, pareils à des cierges à brûler, laissant leurs merdes derrière eux, avec le sang, les viscères, les os brisés, tout ça pour l'héritier, à charge pour lui de tout nettoyer et de redonner un air de normalité au cabinet pour que les malades puissent revenir s'y faire palper, tripoter, ausculter, comme au temps où le docteur, l'été, pratiquait en short.

Je fis alors un geste enfantin et dérisoire qui me ressemblait peu. J'allai à la cuisine et cassai tout ce qui pouvait l'être. À 2 heures du matin, de peur que mon chien se blesse, piteusement, je ramassai tous les morceaux de verre, de porcelaine, de plastique ou de métal que j'avais dispersés et passai l'aspirateur. À 3 heures, j'étais assis là où le ciel m'était tombé dessus. Je savais que, dans leur grande sagesse, les toits ne tombent jamais deux fois au même endroit. Alors, serrant Watson près de moi, sentant battre son cœur, je m'endormis sur le canapé.

Cet automne-là, l'Italien Gelino Borlin remporta le marathon des Jeux olympiques de Séoul, l'Amérique choisit Bush comme président, Gorbatchev fut reçu au Parlement européen, la sculpture de Degas, *La Petite Danseuse de quatorze ans*, se vendit 52 millions de francs, *L'Homme qui marche* de Giacometti, 35 millions, et *L'Acrobate et le jeune Arlequin* de Picasso, 212 millions, tandis que la France mitterrandienne votait la loi instaurant le RMI.

Je m'efforçai de reprendre pied dans cette ville, de retrouver ce pays que j'avais à peine croisé lors de la mort de mon père. Ce n'était pas chose très difficile, mais je ne parvenais pas à tirer un trait sur mon passé de joueur, à renoncer à cette joie qui m'habitait encore quand j'enfilais mon gant. En outre, rouvrir le cabinet familial était, à mes yeux, une perspective proche de la pénitence de Canossa.

Et puis il y avait la Norvège. Cette idée qui ne me lâchait plus de faire le voyage. Pas besoin d'avion, juste une bonne voiture. Traverser la France, l'Allemagne, un petit morceau du Danemark, prendre un ferry à Hirtshals, débarquer à Kristiansand, et voilà. Trois jours tout au plus. Ensuite, ouvrir les yeux, écouter, sentir, dormir un peu et revenir. Puis décrocher le téléphone et pouvoir dire enfin tout ce que j'avais vu et appris, d'une voix calme, claire, une voix qui avait fait la paix avec elle et le passé : « Je reviens de Norvège. J'ai vu la grande falaise Preikestolen à côté de Stavanger et la montagne Ulriken à Bergen. J'ai admiré toutes les statues de Gustav Vigeland au Frognerparken d'Oslo. J'ai photographié le radeau Kon Tiki exposé au musée de Bygdøy. J'ai aussi mangé du fenalår, du morr, bu du juleøl, et dormi au Thon Hotel Wegerland. J'ai compté 84 Lunde dans l'annuaire d'Oslo et des environs. J'ai appris que ton nom, Lunde, était celui d'un très bel oiseau, très original, au bec et aux pattes rouges, le macareux moine. Son nom scientifique est *Fratercula arctica*, ce qui veut dire "petit frère de l'Arctique". Son espérance de vie est de 25 ans. Il plonge sous l'eau pour échapper aux attaques des labbes et des goélands. En mer, lorsqu'il est fatigué, il se laisse flotter, repliant son bec sous son aile. J'aimerais pouvoir me laisser porter ainsi. »

J'étais certain qu'à l'autre bout du fil, Ingvild m'aurait écouté avec émotion. Puis elle aurait peut-être dit : « Je ne savais pas que tu connaissais les oiseaux. » Et j'aurais raccroché pour éviter qu'elle le fasse avant moi.

Conformément aux analyses du notaire, les économies familiales avaient servi, dans leur grande majorité, à payer les droits de succession. L'adolescence était bel et bien terminée. À 33 ans il fallait que je me mette réellement au travail. J'avais eu une vie d'enfant gâté. Une jeunesse chanceuse pour peu que l'on veuille bien oublier la succession d'épreuves que m'avait infligée ma propre famille.

En tout cas, Hippocrate était là. Sur le pas de la porte. N'attendant qu'un mot pour revisser une plaque neuve sur le support en bois.

J'avais toujours eu un problème avec la médecine. Guérir était pourtant un mot merveilleux. Sans doute le plus beau de tous, avec cesta punta. Pouvoir dire à un vrai malade « Cette fois, vous êtes guéri », juste cela. Et sortir de la pièce, content d'avoir fait le travail. Malheureusement il y avait tout le reste, le temps perdu à écouter les pères voulant savoir s'ils avaient engendré des surdoués, les mères inquiètes de leur transit, les veufs qui venaient passer un moment, et ce temps – presque une vie – passé à essayer de soigner les cénestopathes, ces malades incernables souffrant de malaises ou de perceptions pénibles qu'aucune lésion anatomique ou cérébrale, aucune analyse, aucun examen ne permettait jamais d'objectiver. Le monde, la ville, les cabinets étaient remplis de cénestopathes. Il n'y avait rien de plus exaspérant et déprimant que d'essayer de soigner quelqu'un qui fabriquait sans cesse son propre malheur, sans posséder la fiole appropriée à lui mettre sous le nez. Et puis il y avait les palpations. Cette façon de s'approprier des corps étrangers me mettait mal à l'aise. Les pénétrer. L'instant du latex. Et Chupetón qui se retournait. Cette image mentale m'était insupportable. Joey avait raison, je n'étais pas fait pour ça. Mon boulot, c'était d'attraper une pelote au vol et de la projeter contre un mur à la vitesse d'une voiture de course pour que, sous la violence de l'impact, elle s'ouvre en deux, et libère son cœur de buis, prisonnier depuis trop de temps.

J'avais réduit mon mode de vie *a minima*. Les maigres réserves d'argent diminuaient. Au début de l'hiver 1989, je crus avoir trouvé une solution en assurant des remplacements chez des médecins généralistes que je trouvais cependant assez curieux, et pour certains aussi étranges que pouvait l'être mon père, Adrian. Certes, ils ne m'avaient pas reçu en slip ou en short – la saison n'était guère propice – mais plutôt soumis à un feu roulant de questions préliminaires sans aucun rapport avec la médecine. « Vous pratiquez des sports hivernaux ? », « Vous préférez acheter une voiture allemande à crédit ou une française payée au comptant ? », « Vos parents sont-ils encore vivants ? », « Si une mère célibataire, je dis bien célibataire, vous demande de choisir le prénom de son fils, quelle est votre attitude ? » Elle consista essentiellement à bien observer l'univers dans lequel vivaient ces médecins, à photographier mentalement chaque détail de leur cabinet, les objets, les lampes, le mobilier, afin de ne jamais risquer de me retrouver un jour à leur place dans un tel décor.

Au printemps de 1989, je pris contact avec une compagnie privée qui embauchait des médecins de garde pour des visites à domicile durant les week-ends. La pathologie de fin de semaine était un monde à part. Renouvellement d'arrêt de travail, violence domestique, excès de boisson, overdose ou décompensation d'un état dépressif. Je me débrouillais comme je le pouvais. J'établissais des feuilles de maladie, les gens me payaient et je passais à un autre immeuble. Financièrement, je survivais, couvrant l'entier de mes dépenses à condition qu'elles fussent réduites au strict minimum.

Je vécus ainsi un peu moins d'une année, circulant dans la ville de nuit comme de jour, réparant, ravaudant, bricolant au cas par cas, ignorant tout du patient que j'allais voir, entrant cependant dans son intimité, pénétrant le plus souvent jusque dans sa chambre, soulevant le drap, examinant son corps, apposant mes doigts sur sa peau, et puis souriant en disant quelquefois : « Dans deux ou trois jours vous serez guéri. »

Au mois de février de l'année 1990, je me rendis chez un graveur de la rue de la Colombette et commandai une plaque de laiton de trente centimètres par vingt. Je lui remis un papier où était écrit « Docteur Paul Katrakilis. Médecine générale. Consultations du Lundi au Vendredi de 14 h à 18 h 30. Sur rendez-vous les Mercredi et Vendredi. »

Si ce n'était le prénom, j'aurais pu tout aussi bien revisser l'enseigne de mon père. Qui aurait remarqué le changement de propriétaire ? « Katrakilis & fils », comme dans la boucherie et les transports. Ce qui comptait c'était « Katrakilis », la marque, le label, le poinçon, et surtout la plaque. Le brillant rassurant du cuivre ou du laiton, ou, comme avait dit le graveur, l'efficacité moderne de l'aluminium et du plastique résistant aux UV.

Le samedi 17 février 1990, je fixai ma plaque sur son support de bois. La boutique ouvrirait le mardi 20, à 14 heures. D'ici là, mon chien et moi avions à faire : vidange « moteur-boîte-pont » de la Triumph, promenade au cœur de la magnifique trilogie « Jardin des Plantes-Grand Rond-Jardin Royal » et entraînement de cesta punta. Il y avait une douzaine de frontons à Toulouse dont cinq murs à gauche. Je pratiquais essentiellement aux heures où il n'y avait personne, au stade de Gironis ou au Stadium. J'envoyais, je rattrapais, sans forcer, juste pour garder la souplesse du corps, l'ampleur du geste. De temps à autre, comme à Miami, je lâchais toute la puissance et le bruit de l'impact claquant comme un fouet me rappelait que sur une cinquantaine de mètres, ma balle voyageait au tiers de la vitesse du son.

Le dimanche, je fis un grand ménage dans la maison et surtout dans le cabinet et la salle d'attente. J'avais acheté toutes sortes de revues et de magazines, davantage pour donner une apparence de fréquentation à la pièce que pour faire réellement patienter des malades qui n'avaient aucune raison de se précipiter dès les premiers jours de l'ouverture. Les revues étaient alignées sur la table, à l'équerre, comme un escadron de gendarmerie, et le premier malade venu verrait bien qu'elles n'avaient jamais été ouvertes, encore moins lues ou manipulées. Katrakilis senior, lui, était à sa place, au milieu de l'étagère, planté dans l'urne, l'œil attentif et critique, pareil à un actionnaire majoritaire supervisant l'ouverture d'une nouvelle succursale. Je n'avais pas envisagé de le déplacer. Après tout, même mort, il était chez lui.

Mardi 20 février, à 14 heures précises, j'ouvris le portillon sur lequel mon père avait apposé une autre plaque, de dimension plus modeste celle-là, invitant le visiteur à procéder dans l'ordre : « Sonnez et entrez. » Une fois arrivé dans le hall, il était impossible de ne pas trouver son chemin puisqu'une dernière signalisation cuivrée « salle d'attente » barrait la porte des patiences.

Il arriva aux alentours de 14 h 30. Je le vis traverser le jardin. Et c'est avec un peu d'appréhension que je l'entendis refermer derrière lui la porte de la pièce attenante. Il devait s'être assis devant la fenêtre, jetant un œil sur les revues et sur la pièce, trouvant sans doute tout cela un peu vieillot, mais bien tenu, les magazines surtout. L'odeur de bombe anti-poussière exagérément parfumée aux extraits de cire naturelle était peut-être trop présente pour un établissement de soins. Il était le premier. Je ne me souviens pas de son nom, ni vraiment de son visage, mais sa voix m'est encore familière, toute proche. Je l'entends encore me dire « Bonjour docteur », et ajouter avant d'être assis « Je crois que le mal est dans mon ventre ». Il ne dit pas « J'ai mal au ventre » mais bien « le mal est dans mon ventre ». Comme avant lui l'avait proclamé Giuseppe Zangara. Exactement pareil. Il était évident que mon patient n'avait nulle intention d'assassiner un président, *a fortiori* socialiste, mais pendant les premiers instants de cette consultation, je ne pus m'empêcher de le voir comme un petit maçon, juché sur sa chaise pliante, tirant des coups de feu à l'emporte-pièce avant de réclamer à ses juges les foudres de l'électricité.

« C'est là, docteur, qu'est le mal. Ça me lance. Surtout quand je mange de la salade et des tomates. Le reste du temps ? Ça va. » Palpations, questions sur le transit, faire de l'exercice, syndrome du côlon irritable, ne pas s'inquiéter, et puis, pourquoi pas, arrêter la salade et les tomates pendant un temps. Sa mère aurait pu lui dire la même chose. « Arrête de te gaver de salade et de tomates, tu sais bien que ça te rend malade. » Mais ces mots-là, il voulait les entendre de la bouche du docteur Katrakilis. Il repartit comme il était venu après avoir réglé le montant de la consultation.

Ce fut mon seul client pour ce premier jour. Je savais que demain d'autres viendraient à sa suite. Le monde était plein de petits Zangara qui avaient des problèmes avec la salade et les tomates.

À l'été, le cabinet avait presque repris son lustre d'antan. En six mois il était redevenu cette vieille maison de soins où le quartier avait ses habitudes. À cela, il y avait une bonne raison. Comme l'avait anticipé Zigby, une partie des clients de mon père était revenue au bercail, pour voir à quoi pouvait bien ressembler le jeune Katrakilis. Il avait indéniablement quelque chose de son père. Mais en beaucoup moins chaleureux. Adrian Katrakilis, lui, était vraiment formidable. On se sentait tout de suite en confiance. D'un autre côté, le fils était tout jeune, il fallait lui laisser le temps de se faire. Il se disait qu'il avait fait ses études en Floride.

Durant les consultations, il n'était pas rare qu'un patient me parle de mon père, le décrivant tel que je ne l'avais jamais connu, sensible, attentif, doux, adoré des enfants. Au début, ces évocations hagiographiques m'exaspéraient au plus haut point, mais avec le temps, je m'habituais à être le fils d'un saint, tout comme je m'accommodais des histoires de tomates et de salades. La routine des horaires avait fini par mater mes projets de voyage en Norvège. De mois en mois, prétextant le surcroît de travail, je reportais ma visite. Ingvild, même si je ne l'avais jamais rappelée, était toujours présente en moi, malgré le martèlement des visites et des consultations qui, lui aussi, assommait finalement la peine tout autant que le désir. Le temps passait, plus d'un an déjà, et je n'en finissais pas de prendre conscience de l'immensité de ma perte. J'avais aimé cette femme. Je l'aimais encore éperdument. Et j'étais un peu effrayé de devoir l'aimer ainsi en vain pendant toute une vie. Elle devait avoir maintenant 59 ans, et plus que jamais, j'avais envie qu'elle sache qu'elle était *Kvinnen i mit liv*, la femme de ma vie.

J'assurais le secrétariat, le standard téléphonique, l'entretien de la maison, et j'avais le sentiment que la charge de travail ne cessait de croître. La vieille Triumph me secondait de son mieux, m'ouvrant la voie avec son caducée prioritaire déposé sur le tableau de bord. Le temps des soirées aux terrasses de Coral Gables, et des sorties en bateau sur la baie, me paraissait appartenir à un autre siècle, tout comme ma vie rêvée d'enfant gâté jetant sa gourme sur les murs des frontons. Pourtant, je continuais de conserver des liens avec cet autre monde en appelant chaque mois Epifanio pour prendre de ses nouvelles et savoir où en était la grève.

« C'est fini, Pablito, *se acabó.* On a signé aujourd'hui. Ces fils de pute ont signé. Un an et demi qu'ils nous tenaient la tête sous l'eau mais ils savaient pas qu'on respirait avec des pailles. Il a fallu tout leur arracher, un poil après l'autre. Tu aurais vu Barbosa, cette petite pute, lui qui, sans broncher, nous collait quarante *quinielas* en double ou en simple par semaine, là, à la fin, avec ses petites lèvres de lézard, il voulait embrasser tout le monde à commencer par moi. Tu sais ce que je lui ai dit à Chupetón à ce moment-là ? Le premier truc qui m'est passé par la tête. Et le premier truc qui m'est passé par la tête, c'est une connerie qu'on gueulait quand on était môme : "*Don Quijote de la Mancha, Come mierda y no se mancha !*" Et tu sais quoi ? C'est tout juste si ce "*caraculo*" ne m'a pas proposé une virée en amoureux à Islamorada. Enfin ça y est, c'est terminé. Les patrons ont annoncé qu'ils reconnaissaient l'existence du syndicat des joueurs, et ça, c'est une garantie pour l'avenir. Les frontons vont tous rouvrir et, la plupart des gars retrouver du boulot. Y en a pas mal qui sont partis, mais bon, qu'est-ce que tu veux, c'est la vie. Moi je vais pas reprendre le jeu. Je vais continuer mon travail de délégué et prendre un poste de permanent au syndicat. Putain, j'ai passé l'âge de faire le con sur les murs. Cette grève, elle m'a foutu dix ans dessus. Hé, la Karmann… un bonbon. Il faut que je te fasse une photo. Et le bateau, je l'ai sorti de l'eau pour gratter toute la merde et refaire la peinture. Ensuite tu sais ce qu'on a fait, dessus, avec ma copine ? *Qimbar y singar sobre el agua.* Oui mon ami, sur l'eau. Ça t'apprendra à me donner un bateau. »

Et pendant une bonne heure encore, Joey avait continué à repeindre le monde à ses couleurs. Cela m'avait fait l'effet d'une transfusion vitaminée, du genre de celles que mon ami conservait cachées derrière son magnétoscope, bien à l'abri, disons, de l'humidité.

Comme à chaque fois je lui promis d'aller le voir bientôt, il me dit qu'il lui tardait, et aussi la voiture, et aussi le bateau et que tous ensemble on irait boire un coup avec les gars du syndicat, du côté d'Islamorada.

Le printemps passa, puis l'automne.

Il était venu me voir plusieurs fois. Déjà client de mon père. Un cancer. Les chimios. L'hôpital. Les douleurs et les humiliations des derniers mois. Le retour à la maison pour ne pas mourir chez les autres. Pas n'importe où. La prise en charge à domicile, avec ses limites. L'épuisement, la fatigue de soi. Le corps qui rangeait ses affaires. Et les odeurs. Toutes les saloperies de la maladie qui s'écoulaient sur les draps, puis par terre. Les visites. « Je vous trouve mieux aujourd'hui, et la tension est bonne. » « Il faut manger, vous le savez, et boire surtout. » « Je vais vous faire une piqûre, ça va aller, ne vous inquiétez pas vous n'allez plus avoir mal. » Dire n'importe quoi pour dire quelque chose, pour repousser le silence, parce que tant que l'on parle, la mort se tient à distance. Faire semblant de considérer que tout cela n'était qu'une mauvaise passe, même si chacun savait qu'il ne restait plus qu'une semaine, peut-être deux, que les résultats des analyses n'avaient jamais été aussi désastreux, que tous les marqueurs partaient en vrille et que le cœur ne battait plus qu'un coup sur deux. Et il parlait. Il disait une chose à peine audible et pourtant je n'entendais que ça, il disait : « Docteur, est-ce que vous pouvez m'aider ? » Et je ne savais pas quoi répondre. Et je lui prenais la main. Et il disait : « Votre père, quand on en arrivait là, il aidait. » Et je sentais chacun des os de sa main et de son poignet filer entre mes doigts. Et il me regardait dans les yeux, et sa vie n'en pouvait plus, et je voulais l'aider. Et il me disait : « C'est pour ça qu'il y avait tant de monde à l'enterrement de votre père. Il aidait. Les gens savaient que c'était un homme bon qui aidait. Que le moment venu on pouvait compter sur lui. » Je ne voyais plus ses yeux. Son regard s'était détourné de moi. Je n'étais que le jeune fils du docteur, celui qui faisait les ordonnances, celui qui avait pris la succession, celui qui débutait, celui qui ne savait pas encore aider.

Je revins le voir pendant quatre jours mais c'est à peine s'il entrouvrit les yeux lors de mes visites. Je lui administrai ce qui était en ma possession, mais c'était insuffisant. Avant que je quitte leur appartement, sa femme m'a pris à part dans le couloir et m'a dit que ce n'était plus la peine que je repasse.

Je n'avais jamais vidé les tiroirs du bureau de mon père. Peut-être éprouvais-je confusément le sentiment de n'assurer qu'un remplacement, un intérim. Après tout, il était toujours chez lui, en droit de revenir n'importe quand et de retrouver toutes ses affaires à l'endroit où il les avait rangées. Je n'avais annexé que l'un des six tiroirs de son meuble, celui de droite, là où je rangeais ordonnances et papiers administratifs. Le reste demeurait au père.

Nous n'avions jamais parlé de médecine. Il m'avait seulement mis sur la voie des études et fait comprendre que, le moment venu, il souhaitait que je prenne la succession. Exactement comme le propriétaire d'une quincaillerie aurait espéré transmettre l'affaire et le stock de la boutique à son fils. Mais à part cela, nous n'avions jamais discuté science ou technique ni même éthique. Je crois que pour lui, j'étais un pelotari à la con, un gosse qui ne comprenait rien à la vie, une sorte de Peter Pan avec un bras plus long que l'autre qui croyait pouvoir cueillir le monde dans sa barquette d'osier. Le gosse aimait le Pays basque, l'océan. Et alors ? Tout le monde aimait le Pays basque et l'océan.

Lorsque je lui avais parlé pour la première fois de mon sujet de thèse, il m'avait fait répéter deux fois son intitulé – « La dopamine dans les insuffisances circulatoires aiguës » – avant d'ajouter simplement : « Pourquoi pas. » Lorsqu'elle fut terminée il la feuilleta comme il aurait parcouru un catalogue de vente par correspondance et lut seulement les quelques lignes de conclusion : « De notre analyse statistique portant sur 41 observations nous pouvons conclure que la dopamine est particulièrement indiquée dans les insuffisances circulatoires aiguës avec incompétence cardiaque en décours des intoxications, des chocs septiques, des chocs cardiogéniques par insuffisance cardiaque, d'une hypovolémie, des cœurs pulmonaires aigus ou chroniques décompensés. Les injections reposent sur une surveillance et une analyse hémodynamique stricte (cathéter de Swan-Ganz et mesure du débit cardiaque). » Il hocha la tête en signe de vague approbation, effleura toutes les pages du gras de son pouce, puis déposa le document sur mon bureau. Ensuite, sans dire un mot, il regagna le sien.

J'ignorais tout de la façon dont travaillait mon père et du rapport qu'il entretenait avec les malades. Deux ans après sa mort je venais juste d'apprendre que, le moment venu, il « aidait ». Ce qui n'était pas rien.

Je crois que Katrakilis senior vivait dans un coffre-fort dont il ne sortait que pour administrer ses onguents, ses recettes, apposer les mains et guérir les écrouelles. La mort de l'homme qui me demanda mon aide me perturba bien plus profondément qu'il n'y paraissait. Le hasard voulut que, quelques jours après sa disparition, en cherchant – ironie de l'existence – un rouleau de scotch, je trouve dans l'un des tiroirs non explorés du bureau de mon père deux carnets noirs, plats, de format 14 × 9 et de marque Moleskine.

Sur le premier, une liste de quatorze pathologies létales, avec un bref historique de chacune d'entre elles, puis l'heure, le jour, le mois, l'année de la transcription. Sur le second, quatorze noms, prénoms, âges, jours, mois, années, heures. Il n'était pas besoin d'être grand clerc pour voir que si l'on croisait les deux documents, chaque date portée en regard d'une pathologie renvoyait à la mort d'un homme ou d'une femme répertoriée, le même jour, dans le carnet jumeau. Les évidences permettaient des calculs rapides : en une trentaine d'années d'exercice, mon père avait, en moyenne, « aidé » 0,46 malades à quitter ce monde chaque année, ce qui me parut être un chiffre considérable.

Je suis longtemps resté assis avec ces listes entre les mains, ne sachant si je devais les remettre à leur place et continuer ma vie comme si de rien n'était, comme si je ne les avais jamais lues, persister à voir mon père tel que je l'avais toujours considéré, un bloc massif d'indifférence, ou au contraire, les serrer dans mon tiroir personnel, lire et relire le nom de ces gens, les imaginer auprès d'Adrian, tenant son bras, le regardant œuvrer comme un ultime ouvrier du repos, le seul qui acceptait de faire ce travail, qui se présentait à l'heure dite, ne manquait jamais à sa parole, et qui ne repartait que lorsque le souffle s'arrêtait.

Ensuite, je le voyais revenir à son bureau, noter le nom, le jour, la date et l'heure, ranger les Moleskine dans le tiroir de gauche, pousser la porte de son cabinet et retrouver le bruit d'une famille qui ne ressemblait à rien mais dont il avait appris à s'accommoder.

Les deux carnets passèrent des tiroirs de gauche à ceux de droite. Je savais que l'urne me regardait. Je venais de fouiller la vie d'un père mort.

Cette trouvaille eut sur moi l'effet d'une vrille incommodante, obsédante. J'étais en proie à toutes sortes d'images et de questions dérangeantes où s'entremêlaient des histoires de shorts et de morts, d'auto et de moto, les « aides » professionnelles, les abandons familiaux, le foie de veau, la tranche de cerveau et les rouleaux de scotch. Comme un enfant qui découvrait un monde inconnu, illisible à ses yeux, j'avais désormais des questions à poser à celui qui les avait suscitées. Mais il était dans l'urne et les flammes lui avaient arraché la langue. Un seul homme, aujourd'hui, pouvait encore me parler du docteur Adrian Katrakilis. Malheureusement, il s'appelait Zigby.

Le chirurgien ne fit aucune difficulté. Dépourvu de rancune, imperméable à l'humiliation, insensible au mépris, oublieux des camouflets, le chirurgien ne se souvenait plus de l'épisode du quagga. L'alcool avait depuis longtemps lavé toutes les traces de nos divergences. Pour sceller notre réconciliation provisoire, stimuler sa mémoire et délier les muscles extrinsèques de sa langue, j'avais préparé une bouteille de Glenlivet Archive, un malt de 21 ans.

Il s'installa au salon, à cette place qu'il avait faite sienne dès sa première visite, et se servit un verre qui en disait long sur ses exigences pour peu que dure notre entretien.

Quand il vit les deux carnets, il se composa la plus belle tête d'imbécile qui se puisse imaginer, sourcils en arcades, yeux pétrifiés, bouche entrouverte. Machinalement, sa langue dit « Tu les as trouvés », puis, l'instant de surprise passé, il redevint le chirurgien esthétique de toujours, capable d'avaler un verre d'une main sûre et leste tout en se servant de l'autre pour ravaler les chairs. « Ce n'était pas à moi de t'en parler. C'était à toi de les trouver. Je les connaissais, ces carnets. Ton père me les avait montrés quand il avait commencé. Il voulait se souvenir de chacune de ces personnes, de leur âge, de leur maladie, de l'heure de leur mort. Il en était en partie responsable. Ces carnets, c'étaient ses archives intimes, pas secrètes, mais intimes. Il m'avait expliqué qu'en aidant ces gens à mourir, il avait l'impression d'aller au bout de son travail, de faire le nécessaire, d'accomplir le geste sans doute le plus difficile mais aussi le plus indispensable de son métier. Il assumait son rôle jusqu'au bout. C'est sûr que moi, en refaisant des mentons et des nichons, je n'ai pas eu souvent à me poser ce genre de questions.

« Je ne sais plus combien de personnes il a assistées exactement, mais il me disait que même avec le temps, il ne pouvait pas s'habituer à injecter ces saloperies. D'après lui, ça se passait comme ça pouvait, c'était rapide, les gens ne souffraient pas, mais quand tout était fini, c'était lui qui avait poussé la seringue. Une fois, et je me souviens que cela l'avait bouleversé, un de ses patients avait mis du temps avant de céder au premier sédatif – je crois qu'il commençait avec du thiopental sodique – et il continuait à parler à sa femme et à son fils. Il leur parlait comme s'ils avaient encore des années à vivre ensemble. Ton père continuait d'injecter, et le malade, lui, de résister. Jusqu'au moment où son visage se tourna vers celui de ton père, le regarda comme s'il ne le reconnaissait pas, et là, pouf, il a fermé les yeux. Ensuite, je crois que ton père ajoutait une dose de bromure de pancuronium et, si nécessaire, de chlorure de potassium. Il me disait toujours qu'on ne pouvait pas s'imaginer ce que c'était que de faire ça dans la chambre à coucher du mourant, avec autour, les proches en larmes, dévastés de chagrin, lui agrippant la main, de faire ces gestes tout en gardant son calme, en contrôlant ses émotions, sa propre frayeur au moment d'appuyer sur le piston de la seringue. »

Le Glenlivet. Une autre injection. Un regard au fond du verre. Quelque chose qui passe fugitivement dans son regard. L'image de sa chambre à coucher. Le lit, peut-être. Le lit qui attend.

« Ça ne s'est pas décidé le jour même. Les malades, les familles, ton père, tout le monde s'y était préparé depuis plusieurs jours. Mais, putain, comment veux-tu te préparer à un truc pareil. C'est impossible. Imagine qu'avant de partir d'ici, il lui fallait préparer sa sacoche. Les seringues, les fioles interdites, le stéthoscope. Et sortir dans la rue comme si de rien n'était. Comme s'il allait soigner une angine. Et tout ce qui lui passait par la tête durant le chemin. Non, tu peux pas te préparer à ça. »

Glenlivet, acte IV. Je remarquai que la ration avait tendance à s'indexer sur le degré émotionnel de cet exercice de mémoire. Avec le risque assumé qu'à partir d'un certain ratio d'alcool, les souvenirs disjonctent.

« Et le risque juridique. Je lui en parlais souvent, à ton père. Lui, il s'en foutait, je crois qu'il ne se rendait pas compte. Tu imagines ? Il suffisait qu'un type de la famille pète un boulon, raconte ça un peu partout, que ça arrive aux oreilles d'un juge ou de la police. Et là, ça pouvait partir dans tous les sens, les journalistes, la télé, le conseil de l'Ordre. De ce point de vue-là, il a eu une chance terrible ton père. Combien il y en a sur le carnet ? Quatorze ? Là, c'est plus de la chance, putain, c'est un miracle. Un miracle, je te le dis. »

Glenlivet, cinquième prise. La langue était encore leste, l'esprit alerte. Zigby était une énigme, une éponge dotée de la parole et d'un prodigieux pouvoir absorbant.

« Ton père, et je m'en rends compte davantage en te racontant tout cela, était un homme bon et courageux. Je sais que ça n'est jamais allé fort entre lui et toi, mais tu sais, ton père a mené une vie familiale difficile et un peu curieuse. Avec ta mère et son frère qui vivait là, en permanence avec vous, ça ne devait pas être simple pour lui tous les jours. Ça, plus les soucis du cabinet et ton grand-père qui n'était pas non plus facile, facile. »

L'alcool commençait à faire son œuvre, et l'échauffement progressif libérait peu à peu les fonds boueux. On devinait déjà le gargouillement des remarques nauséabondes, des suggestions fielleuses, mon oncle, ma mère, évidemment, emboîtés l'un dans l'autre, sacrilège baptisé aux humeurs de l'inceste, les doigts encore odorants et humides, et le grand-père converti aux sacrements sanglants de l'Église. Les reflux zigbyens remontaient toute l'aigreur hépatique de leur maître.

« Tout ça pour te dire qu'Adrian a passé sa vie à faire ce qu'il fallait. Dis-moi une chose. Ça fait quoi, un ou deux ans que tu as rouvert le cabinet. Depuis, tu as aidé quelqu'un, toi ? »

Parfois, pour des week-ends de trois jours, je partais à l'océan. L'hiver était là-bas une saison comme les autres, avec ce qu'il fallait de pluie et de tempêtes pour se sentir vivant. Mon chien sillonnait les plages, je jouais quelques pelotes, la Triumph luisait sous les averses, le Jaizkibel gardait un œil sur nous, et, de là où il était, László Papp nous pénalisait toujours d'un moins sept ou moins huit, toujours pour les mêmes raisons. Jamais il n'amenderait sa théorie, ni nous la nôtre.

J'aurais pu, et sans doute dû, passer ma vie à Saint-Sébastien, ou Donostia comme on disait aujourd'hui. Apprendre le basque. Me laisser pousser une sorte de barbe inachevée. Acheter une barque dans le petit port. Ouvrir un magasin de produits de la mer, de vêtements et divers accessoires norvégiens. Une boutique boréale. Avec des écrans géants en permanence connectés dans les plus beaux endroits du royaume. Six mois de jour éternel, six mois de nuit permanente. Et les Basques viendraient là, voir à quoi ressemblaient les Vikings et acheter des petits drakkars pour les enfants. Accrochées partout, des photos d'Ingvild Lunde, la femme que j'aimais, dans sa plus belle et plus noble posture, flottant sur l'eau, la tête repliée sous l'aile.

À défaut de tout cela, il me restait les tamaris de la Concha, le plaisir de traîner avec Watson de la place Cervantes à celle de la Constitución, en enfilant les ruelles près du port, sombres comme des boyaux et se terminant toujours au pied d'une église, Santa María ou San Vicente. Si j'avais suivi les conseils de Papp, je serais entré dans ces chapelles, j'aurais acheté tous les cierges disponibles pour les allumer les uns après les autres et les déposer aux pieds de toutes les vierges de la Création. Ensuite je me serais agenouillé, j'aurais prié, mains jointes, yeux clos, jusqu'à ce que la nuit fût tombée et lorsque la dernière goutte de cire aurait coulé dans le gosier des dieux, une sonnerie aurait retenti au fond de la sacristie et un bedeau aurait accouru pour me demander si j'étais bien Paul Katrakilis, et me dire qu'une dame me demandait au téléphone, une certaine Ingvild Lunde qui appelait d'Amérique.

Parfois, à Donostia, quand une averse m'accompagnait au détour d'une rue, je me disais qu'il n'en faudrait pas beaucoup plus pour que la vie soit aussi simple que ça. À Toulouse, il en allait tout autrement. En ce mois de janvier 1991, pendant que l'opération « Tempête du désert » emportait les vivants et les morts, dans mon cabinet s'entassaient les victimes de l'épidémie de grippe hivernale, le Noël des fabricants de paracétamol. Une revue médicale venait de chiffrer – Dieu sait pourquoi en dollars – le coût de l'épidémie de l'an passé pour notre système de santé : 266 millions. Les consultations médicales auraient augmenté selon les régions de 150 à 450 %, et le retentissement global sur l'économie française aurait été chiffré à 2 000 millions de dollars pour la seule année 1990. Ces articles, au sous-texte culpabilisant, me faisaient toujours penser aux charités distribuées par ces dames patronnesses férues d'église et criblées de foi, mais qui ne manquaient jamais ensuite une occasion de vous rappeler combien, vous et vos semblables avec vos fragilités et vos santés de flanelle, coûtiez à la communauté.

Un déluge de paracétamol, donc, ici, et 88 500 tonnes de bombes là-bas.

Watson s'était accoutumé au rythme routinier de cette vie. Il attendait que passe la maladie pour que nous puissions aller faire notre marche au Jardin des Plantes. Le reste du temps il m'attendait au salon, à la cuisine ou à l'étage, en train de chercher une piste ou de guetter une souris. Pendant les consultations, j'entendais le bruit de ses pattes sur les marches de bois de l'escalier qu'il dévalait sans mesure, à la poursuite d'on ne sait quelle chimère, au point de souvent déraper sur le sol de l'entrée et venir s'encastrer dans le bas de la porte de mon bureau qui tremblait alors comme si un troupeau de diables de Tasmanie tentait de l'enfoncer. Je prenais alors un air stupide qui se voulait rassurant : « Ne vous inquiétez pas, c'est mon chien qui a glissé. » Mais il était évident que mes patients n'en croyaient pas un mot.

Epifanio s'était installé dans les nouveaux bureaux du syndicat, les frontons avaient tous rouvert, chacun avait enfilé ses jerseys, ficelé ses gants et réamorcé la pompe des paris. Joey me disait que l'ambiance n'était plus la même, mais ça ne l'empêchait pas d'être tout excité parce qu'un épisode de *Miami Vice*, *Deux flics à Miami*, était en cours de tournage au Jaï-alaï. Il était allé y faire un tour et avait croisé Don Johnson, alias Sonny Crockett, et Philipp Michael Thomas, dit Ricardo Tubbs. « Deux types sympas, mais qui ressemblent à deux flics comme moi à Gloria Estefan. En tout cas, là-bas, c'était chaud, mon ami, *muy caliente*. Le parking, dehors, était noir de gonzesses qui voulaient tirer sur l'élastique de Sonny ou de Tubbs. Tu imagines que les deux oiseaux ils avaient autre chose à foutre que d'aller se faire palucher dans une Mercury. Alors moi, tu me connais, j'y suis allé sur le parking et ça n'a pas traîné. J'en ai ramené une direct à mon bureau, au syndicat. Et avec Ainhoa, c'est son prénom, on leur a montré à Tubbs et Crockett ce que c'était le vice à Miami. Il faut absolument que tu viennes ici. Qu'est-ce que tu fais le docteur, là-bas ? Viens le faire ici. Tu as quelqu'un à Toulouse ? Personne depuis la Norvège ? Putain, tu m'inquiètes. Tu vas finir chez les moines, à tirer sur les cloches. »

Avec Joey, nous nous parlions de plus en plus souvent. Des communications courtes, sans grand réel intérêt, mais qui avaient le mérite de nous relier, de maintenir en charge les batteries de notre mémoire commune, de nous garder proches malgré la tyrannie de la distance. Quand je lui demandais s'il était allé chez Wolfie's, il me répondait que non, qu'il n'y était pas allé.

J'avais 35 ans et cette solitude, qui angoissait tant Joey, était devenue, pour moi, une habitude de vie comme une autre. Je vieillissais avec Watson, et je ne crois pas que les moines aient jamais eu le droit de partager la compagnie des chiens. Et puis il y avait le cabinet, le téléphone qui sonnait, tous ces gens qui entraient et sortaient de la maison, qui claquaient les portes. Ils étaient ma famille nombreuse. Ils me racontaient leur vie qui était souvent aussi triste que la mienne, ils me parlaient des selles de leurs bébés, de leur herpès génital, de leur femme qui les rendait fou, de leur mari qui ne pensait qu'à ça. Le reste du temps, ils avaient mal, là. Non, docteur, un peu plus haut. Voilà, là, exactement.

Pour prendre l'air, j'avais les visites à domicile, et deux ou trois fois par mois, les représentants des laboratoires pharmaceutiques venaient au cabinet déposer un échantillon d'une nouvelle molécule qui « redonnait goût à la vie, renforçait les défenses immunitaires, prolongeait les érections, supprimait les bouffées de chaleur, allégeait les jambes lourdes », mais qui, surtout, leur offrait l'occasion de venir m'entretenir de la BMW qu'ils venaient d'acheter.

Ingvild me manquait, le Jaï-alaï me manquait, le bateau me manquait, la Karmann me manquait, mon ancienne vie me manquait, et Joey, bien sûr, me manquait.

Cela faisait déjà deux semaines qu'il était rentré de l'hôpital. Quelqu'un de bien, un homme intelligent, drôle, bâti pour vivre des siècles, avec une énergie souriante, fraternelle. Du temps de mon père, il avait travaillé chez nous, remanié la toiture et refait toutes les descentes en zinc de la maison. Toute la vie de cet homme s'était passée à galoper sur les toits, à tromper la mort du matin au soir, été comme hiver. Et voilà qu'elle était sur le point de le rejoindre.

Les os, les poumons, de tout, partout. L'oxygène en permanence, la morphine, la pompe. L'épuisement. Je venais le voir tous les soirs après la dernière consultation. Quelques mots, deux ou trois gestes inutiles mais qui montraient que j'étais là, que je m'occupais de lui. Dans la pièce à côté, la télévision était allumée. On percevait le son au travers de la cloison. Il dit : « Il faut que ça finisse. C'est trop long. » Il avait pris ma main, j'entendais sa courte respiration, je pouvais sentir battre son cœur. « Faites ce qu'il faut. Ma femme est d'accord. Faites-le pour moi. » Et nous sommes restés ainsi, l'un près de l'autre, en silence, pendant de longues minutes. Par instants, sa main tapotait faiblement mon avant-bras. Comme s'il voulait m'encourager. Me dire : « Allez-y, vous verrez, ce n'est rien. Tout ira bien. » Sa femme entra, j'en profitai pour me dégager, me lever et dire : « Je reviendrai demain. » Sur le palier, sa femme me tendit la main : « Merci d'être passé. » L'air de la rue me sembla déborder de vie. Je rentrai chez moi à pied par le pont des Demoiselles et, sitôt poussé la porte, décrochai le téléphone. Ces mots-là, peut-être mon père les avait-il prononcés quatorze fois avant moi. « Dites-lui que je viendrai demain soir avec ce qu'il faut. »

La journée de consultation fut interminable et j'avais eu le plus grand mal à prendre en considération la rhinite, le rosé de Gibert, la périarthrite de l'épaule, ou les reflux gastriques de patients juvéniles et par ailleurs en parfaite santé. Les réserves de mon père étaient rangées à l'abri de la lumière, dans une boîte métallique déposée dans un placard de la bibliothèque fermé à clé. Lorsque le dernier client eut passé le portillon, je préparai mes affaires et me rendis à pied à mon rendez-vous.

Ils étaient l'un près de l'autre. Assise sur le rebord du lit, elle lui tenait la main. On percevait encore le son étouffé de la télévision provenant de la pièce voisine. Nous étions là, tous les trois conscients de ce qui allait se passer. Elle dit : « Je veux rester près de lui. » Il fit signe de la tête que c'était ce qu'il voulait aussi. Elle s'est penchée et l'a pris dans ses bras. J'ai dit : « Je suis à côté. Dites-moi quand vous serez prêts. » J'ai attendu un long moment dans le petit salon, en regardant par la fenêtre. De l'autre côté du mur, devant leur télévision, les voisins ne se doutaient pas de ce qui se préparait ici. Ils grignotaient quelque chose et les images se faufilaient dans leur tête comme le vent dans les arbres. Ils n'avaient aucune raison de redouter la nuit qui venait. J'essayais de rester calme, lucide, concentré sur l'essentiel, les gestes simples à accomplir. Je ne voulais penser à rien d'autre ni à personne. Je devais faire simplement ce que l'on m'avait demandé de faire. Accomplir un geste professionnel.

« Nous sommes prêts. » Lorsque j'entrai dans la chambre et les vis tous les deux, main dans la main pour affronter ce qui allait venir, j'eus l'impression de rentrer dans de l'eau froide, une eau de montagne qui empoigne la peau et fait grincer les os. Je sus aussi que je devais m'approcher de l'homme, poser ma main sur sa joue, le regarder et d'une voix calme lui dire : « Vous allez vous endormir. » Il me fit un signe de tête qui voulait dire oui et embrassa sa femme une dernière fois. J'avais tout préparé. Les seringues, les doses. Avant même la fin de la première injection de thiopental sodique ses yeux se fermèrent. Et la seconde, de bromure de pancuronium, suffit à faire taire le peu de vie qui restait encore en lui. La femme posa son visage contre la poitrine de son mari et se mit à pleurer en silence. Je rangeai mes affaires mais demeurai auprès de ce couple, enlacé et à jamais séparé, jusqu'à l'arrivée de leur fils que j'avais prévenu par téléphone. Je remplis et signai le certificat de décès, puis quand la famille fut réunie, je quittai l'appartement.

J'étais assis dans la cuisine de la maison. Sans personne à qui raconter ce que j'avais vu, ce que j'avais fait, ce que, maintenant, je ressentais, si je regrettais ou au contraire éprouvais la conviction d'avoir agi comme il le fallait. À part la tranche de mémoire soviétique qui trempait à l'étage, la maison était vide et silencieuse comme une tombe dont j'étais l'unique locataire. Mon chien dormait sur le canapé, Ingvild était Dieu sait où, et il me restait bien Epifanio, quelque part dans cette grande ville de Floride, à six heures de montre, en train de construire sa vie au jour le jour. Mais il n'aurait pas aimé savoir que j'avais aidé un malade à mourir. Il y avait pour lui des limites qu'un homme ne doit pas franchir.

Dans cette cuisine grignotée par la nuit, je pensais à mon père. Je lui en voulais de ne pas m'avoir parlé. Des quatorze personnes qu'il avait poussées dans le vide. Des raisons qui l'y avaient conduit. De ce qu'il avait ressenti la première fois, et les fois suivantes. Des méthodes. Des difficultés rencontrées. Des souffrances éventuelles. Des morts approximatives. Des retours à la maison. De nos dîners, ces soirs-là. De ses carnets Moleskine dans le bureau. Pourquoi deux, pourquoi avoir inscrit dans chacun les mêmes informations calendaires, pourquoi avoir, surtout, coupé les morts en deux ?

Il aurait dû me préparer à affronter la nuit que j'allais traverser. Un fils n'avait pas à faire un pareil chemin tout seul. C'était du devoir d'un père que de l'initier. Au lieu de quoi Katrakilis senior s'était confié à un ivrogne avant de s'ensevelir dans un rouleau de scotch. Écharpé contre l'angle vif d'un scooter dont les assurances avaient de surcroît rechigné à vouloir rembourser les dégâts. Sans un mot ni explication, il s'était suicidé comme se pendent les criminels dans leur cellule. Encordés par le remords. Peut-être mon père était-il lui aussi reclus dans une forme de solitude, enfermé dans une prison familiale avec des détenus dont il ne parlait pas la langue.

Ce soir-là, ce premier soir, Ingvild fut réellement la seule personne que j'aurais eu besoin d'avoir près de moi. Manger quelque chose de chaud avec elle. Ne rien dire de ce qui s'était passé dans l'appartement. Parler de la batterie de la voiture qui était en train de lâcher et des griffes du chien qu'il faudrait couper. Faire la vaisselle pendant qu'elle fumait une cigarette devant la fenêtre. Sortir ensemble promener Watson dans les allées. L'écouter parler à l'animal en norvégien. Rentrer à la maison soulagé de quelque chose, d'un poids, d'une inquiétude. Se dire qu'elle était là et que c'était ce qui comptait. La regarder, la garder. Ne pas se demander, le jour venu, lequel des deux tiendrait la main de l'autre. Écouter le bruit de la théière siffler dans la cuisine. Prendre une douche brûlante. Observer par la fenêtre les voitures qui passent. Se dire qu'il n'est pas très loin d'ici et qu'il ne souffre plus. Éviter son propre visage dans le miroir de la salle de bain. Se déshabiller et rejoindre Ingvild dans le lit. Sentir la chaleur de sa poitrine, la douceur de ses jambes. L'enlacer, toucher sa peau, effleurer le mystère du bonheur, de la paix, murmurer *Kvinnen i mit liv*, allumer en secret tous les cierges de Santa María et de San Vicente, et prier pour que cette femme vive longtemps, éternellement.

Ne trouvant pas le sommeil, vers 3 heures du matin, j'allai dans mon bureau et pris les deux carnets. Sur le premier, en face du numéro quinze, j'inscrivis une description minutieuse de la pathologie, l'heure de mon intervention, le jour, le mois, l'année. Sur le second, les mêmes écritures réglementaires : âge, jour, mois, année, heure.

Puis je les rangeai dans le tiroir supérieur droit.

1998, FLORIDE

Je n'avais jamais oublié son nom. La première fois que je l'avais entendu, je venais d'avoir 6 ou 7 ans. Ce jour-là, mon oncle m'avait offert une petite voiture Dinky Toys. En me la remettant il m'avait dit de manière assez solennelle : « Prends-en soin, car c'est la Ferrari d'Olivier Gendebien qui vient de gagner au Mans. » Curieusement, plus que le nom de la voiture et son palmarès, c'est le nom de cet homme qui se grava dans mon esprit. Gendebien. Olivier Gendebien. Ce coureur automobile belge disputa huit fois l'épreuve du Mans et la remporta à quatre reprises avec toujours le même co-pilote, l'américain Phill Hill, né, lui, en Floride.

La Ferrari n'avait jamais quitté ma chambre et y dormait encore. Gendebien, lui, pour des raisons qui appartiennent aux fantaisies de l'enfance, fut ma première idole. À son propos, on disait, à l'époque, qu'il était le dernier des grands *gentlemen drivers* – cette superbe dénomination me fascinait – et, à vrai dire, il ne me surprenait nullement qu'un Gendebien fût un gentleman. De surcroît, cet homme avait un visage d'époque, ancré dans le plaisir, rayonnant de droiture, qui ravalait un James Dean et sa Porsche 550 Spyder au rang de garçon d'étage, ou de bain, selon les indulgences.

Ce matin du 2 octobre 1998, dans le taxi qui me conduisait à l'aéroport, on venait d'annoncer la mort d'Olivier

Gendebien à la radio. Quelques phrases pour dire qu'il avait vécu soixante-quatorze ans, gagné beaucoup de grands prix et fini ses jours en France, dans une maison située à Tarascon, à deux pas de celle de son ancien compagnon de route, le pilote Maurice Trintignant.

Au moment d'embarquer pour la Floride, j'étais sans doute le seul à posséder encore la Ferrari rouge 330 TRI/LM Spyder avec laquelle Olivier Gendebien, *gentleman driver* de mon enfance, avait gagné au Mans pour la dernière fois en 1962.

Par la route nord, le vol pour Miami durait une dizaine d'heures. L'avion décrivait une trajectoire courbe qui l'amenait à frôler le Groenland, à survoler ensuite Terre-Neuve, les eaux du Canada, puis à redescendre vers le sud en longeant toute la côte est des États-Unis. Dix heures qui me paraissaient interminables alors que Hill et Gendebien, d'une seule traite accomplissaient l'équivalent horaire d'un aller-retour Toulouse-Paris-Miami, le cul vissé dans le baquet brûlant d'une Ferrari hurlante d'être menée à pareil train.

Tandis que le Boeing prenait de l'altitude, je me posai deux questions qui ne méritaient pourtant aucune réponse. À la toute fin, Olivier Gendebien avait-il laissé faire les choses, ou bien quelqu'un l'avait-il aidé à franchir une dernière fois la ligne ? Au volant de mon cabriolet Triumph Vitesse de 29 ans d'âge, boîte 4 et over drive toujours opérationnel, avais-je encore le droit de me prévaloir du titre honorifique de *gentleman driver* ?

L'ennui, la raréfaction de l'oxygène allié au savoir-faire de quelques molécules de Lorazepam concoururent à mon endormissement dans la paix des cieux. Je fermai les yeux en pensant à mon idole, à sa voiture rouge garée sur mon étagère mais aussi à l'ingrate « hellénitude » de mon nom qui, à la différence de celui du gentleman, ne m'ouvrait pas en grand les portes du paradis.

Il m'avait fallu des années pour me décider à fermer le cabinet le temps de revenir sur mes pas, de retrouver le jeu auquel j'avais consacré ma jeunesse, l'endroit que je tenais pour le Valhalla des pelotaris et qui s'était révélé n'être, à l'usage, qu'une banale entreprise employant de lestes ouvriers pour projeter des balles et siphonner des paris.

La grève nous avait permis de prendre conscience des conditions de vie véritables des joueurs dans certains frontons de ce pays. Un millier de pelotaris, répartis dans tous les Jaï-alaï et dont la plupart venaient d'Espagne, du Pays basque, d'Amérique du Sud, vivaient souvent à quatre ou cinq entassés dans une seule pièce et gagnaient à peine de quoi vivre modestement et aider leurs familles. Ce que nous ignorions, c'était que lorsque ces immigrés réclamaient des paies correctes ou des conditions de vie décentes, les patrons menaçaient de les licencier, ce qui annulait de fait leur permis de travail, provoquait leur expulsion, les renvoyant « manger leur merde » dans leur pays, comme disait Barbosa. Dans cette grosse machinerie, pour maintenir les cadences de production, il suffisait alors de commander une nouvelle pièce à l'étranger pour remplacer celle qui avait lâché, sans trop se préoccuper de la qualité de ce nouvel organe de substitution. Pourtant, l'attrait pour ce jeu, le gant, la pelote était si fort, que beaucoup surmontaient les humiliations et continuaient coûte que coûte à courir, cueillir et lancer les balles.

Le temps était passé, mais Epifanio était toujours là dans le hall international de l'aéroport de Miami, exactement là où, il y a dix ans, nous nous étions quittés. « *Mi pequeño médico ! Puta madre*, tu as encore grandi. On dirait James Bond ! » Ses bras me secouaient, m'entouraient, me palpaient, me frictionnaient et, dans leur infinie bonté, me soulevaient parfois de terre. « Olivia ! Olivia ! C'est lui, viens, viens que je te présente mon putain de docteur, celui qui offre des Karmann à ses amis. »

Bien des choses avaient changé dans la vie d'Epifanio. Fatigué de fracasser ses colères sur des directions indifférentes, il avait quitté le milieu de la cesta punta après s'être battu avec le successeur de Chupetón – un type de Tbilissi – pour des histoires de contrats falsifiés, lui avoir cassé deux doigts et fracturé le nez. Ce soir-là, je me souviens qu'il m'avait appelé à Toulouse. « Ce putain de Géorgien tu sais ce qu'il a fait ? Il m'a traité de macaque. Il m'a dit : “Casse-toi de mon bureau putain de macaque communiste.” Ces mecs de l'Est c'est les pires de tous. Pour du fric, ils sont capables de bouffer leur mère vivante. En tout cas, crois-moi, avec ce que je lui ai mis à Khrouchtchev, il va respirer par la bouche pendant un bon bout de temps. »

En 1995, Epifanio avait épousé Olivia Gardner, une Américaine originaire de Spartanburg, une petite ville de Caroline du Sud. Epifanio adorait avoir une femme née à Spartanburg. Dans sa bouche Spartanburg sonnait comme un roulement de tympani. Il adorait ce nom au point que le diminutif, si l'on peut dire, d'Olivia n'était autre que Spartanburg. Ils avaient fusionné leurs économies pour monter une jardinerie dans la banlieue ouest de la ville, du côté du Tamiami Trail, cette route qui reliait Miami à Tampa au travers des Everglades et de l'Alligator Alley. Ils vendaient toutes sortes de végétations tropicales qui, ici, jaillissaient du sol comme des fontaines. À l'instant où Spartanburg m'embrassa, splendide rousse aux formes et aux bras généreux, je sus qu'ils étaient faits l'un pour l'autre.

Joey et moi étions à nouveau réunis, comme autrefois. Seul manquait Watson, mort l'année précédente d'un ictère au foie foudroyant provoqué vraisemblablement par la leptospirose. Je n'avais rien pu faire. Il m'avait regardé jusqu'à la fin espérant un second sauvetage mais j'avais dû le laisser filer tout en le serrant contre moi. Il n'y a rien de ridicule à pleurer la mort de son chien. Nous avions partagé nos vies et Watson était bien plus proche de moi que mes parents ne l'avaient jamais été. Nous avions un langage commun, nous nous comprenions et, un an après sa disparition, je guettais encore le bruit de ses pattes quand il dévalait l'escalier.

Il y a dix ans, Joey m'avait déposé ici avec la Karmann. Il revenait aujourd'hui me chercher avec la même voiture, embellie, lustrée, les sièges repulpés et recouverts d'un drap de toile beige ourlé d'un passe-poil de velours sombre. « C'est toi qui conduis, *guapo.* » Il avait compressé mon bagage dans la petite malle avant et nous voilà partis sur le Dolphin Expressway, le docteur au volant, Spartanburg sanglée sur le siège passager et Nervioso, plié comme un origami sur la banquette arrière.

Ils m'accueillirent chez eux et m'installèrent comme s'ils recevaient un plénipotentiaire. Cette maison qui n'avait rien de remarquable débordait de toute la joie de vivre qu'ils avaient accumulée à l'intérieur. En quittant le syndicat et en épousant cette femme qui lui ressemblait à bien des égards, Epifanio était redevenu Nervioso, agité, incandescent, toujours à mener deux ou trois choses de front, embrassant ou caressant Spartanburg entre deux portes, commandant une livraison de pots d'*aechmea brachteata* ou de *blanchetiana*, tout en fourrageant la tête de Delco de sa camionnette qui soudain ne lui revenait pas.

L'un et l'autre menaient une existence conçue à leur mesure. Ils mangeaient comme quatre, travaillaient jusqu'au dîner, et, la nuit, je les entendais rire dans leur chambre et baiser jusqu'à ce que le sommeil les emporte. Olivia était fille d'avocat et mère de toutes les batailles, qu'il s'agisse de planter un palmier ou de s'en prendre à une souche récalcitrante. Elle maniait le sécateur comme la tronçonneuse, soumettait la terre comme l'on frappe l'acier, mais pouvait aussi pailler l'arbuste naissant ou la plante en gésine. Elle avait un beau visage de protestante, un corps de païenne, taillé dans une chair généreuse et solide, que l'on imaginait mal avoir grandi dans l'ombre d'un cabinet de loi. J'aimais beaucoup Spartanburg. Elle était de ces femmes sur lesquelles on sait pouvoir compter et qui n'hésitaient pas à vous remettre dans le droit chemin du bonheur.

Quand Epifanio parlait d'elle, il me disait toujours : « Celle-là, le bon Dieu me l'avait mise de côté pour mes vieux jours. Depuis que je l'ai rencontrée, je n'ai plus regardé une autre femme. Ne ris pas, *coño*, c'est vrai. Je n'ai pas bougé un poil, pas une oreille. Tu as vu comment elle marche, comment elle mange, comment elle rit, comment elle secoue la camionnette ? Et crois-moi, il n'y a pas que la camionnette qu'elle secoue. Un jour, pour rigoler, son père m'a dit : "C'est mon second fils." Ceci dit, son père est un con. Un petit mec prétentieux qui n'a jamais faim, qui doit pisser assis et qui aurait voulu une fille qui se fasse les ongles et se prenne pour une Anglaise. Tu la vois, Spartanburg, tremper des biscuits dans une tasse de thé ? Je te dis c'est le bon Dieu qui me l'a mise de côté. »

Nous avons passé quelques jours ainsi, allant de la maison à la jardinerie où j'essayais de me rendre utile. Le travail physique et manuel ne m'avait jamais rebuté. Je pense que moi aussi, si j'étais né à Spartanburg, si j'avais été épaulé par une femme, si j'avais pu manger chaque soir auprès d'elle, je crois que j'aurais pu faire une honorable carrière de pépiniériste, et j'aurais été capable de secouer la camionnette.

Le week-end, Joey m'amena au bateau. Comme la voiture, il avait été rafraîchi. Il était toujours amarré au ponton oublié dans un repli de la ville. La coque repeinte, des plaques adhésives anti-dérapantes collées aux endroits stratégiques et le banc de pilotage refait à neuf dans un skaï blanc lui donnaient une curieuse allure, comme ces excès de maquillage censés camoufler les craquelures de l'âge. Dès que nous nous fûmes éloignés du quai, je pris conscience que je n'avais pas emporté mes Fisherman's Friend. Et la mer n'était pas formidable. Un clapot déplaisant. Comme cela avait été le cas pour la Karmann, Joey avait tenu à ce que je prenne la barre. Sur le banc arrière, mari et femme grignotaient des pilons de poulets frits en buvant un granité de citron. Le bruit du moteur se mêlait à celui de leur conversation.

Il n'y avait pas grand monde sur l'eau. L'heure et le clapot y étaient sans doute pour quelque chose. Nous naviguâmes vers le nord, une zone que je connaissais bien. Et je reconnus l'endroit où j'avais repêché Watson. Comme si cela s'était déroulé la veille, je revis son museau accroché à la surface, sa bonne tête de chien qui ne demandait qu'à vivre, je sentis ses pattes s'agripper à moi, et je l'entendis dévaler les escaliers de la maison jusqu'à cogner à ma porte. Ensuite, les mains sur la barre, conservant un cap imaginaire, je me mis à pleurer comme un enfant parce que c'était la seule chose qu'un homme raisonnable puisse faire à un moment pareil.

Au mitan de notre sortie, mon estomac décida brusquement de me fairc payer le prix de ma négligence. Sans la protection de l'ami du pêcheur, je fus soumis à une vague de nausée qui m'obligea à couper les gaz, lâcher la barre et me précipiter à bâbord pour me délester de mes encombrements. Durant la route du retour, il fallut par deux fois renouveler ces opérations de transbordement. Olivia ne comprenait pas comment un type qui avait un bateau depuis si longtemps pouvait à ce point avoir le mal de mer et surtout pourquoi il s'obstinait à vouloir faire du bateau. Au moment où j'allais lui confier que, normalement, l'ami du pêcheur m'était d'un grand secours, une nouvelle salve me renvoya vers les plats-bords et abrégea mes explications.

Après dîner, et avant que les amoureux regagnent leurs intimités, je demandai à Joey si je pouvais prendre la camionnette pour aller faire un tour en ville. Il ne comprit pas pourquoi je souhaitais emprunter son outil de travail plutôt que la Karmann, alors, haussant les épaules, il dit : « Tu es sûr que tu préfères pas mon petit tracteur ? *Hasta mañana mi corazón.* »

Je connaissais le chemin. Toutes les routes de Miami menaient à l'endroit où je me rendais. Ce soir c'était la 836, puis un tronçon de l'A1A, le MacArthur Causeway et Collins à gauche, jusqu'à la 21e. Voilà pourquoi je ne pouvais pas prendre la Karmann.

J'étais garé de l'autre côté de l'avenue, devant le restaurant. Dix ans que j'attendais un moment qui ressemblerait à celui-là, qui me ramènerait à une rue et un trottoir d'Ingvild Lunde. Tout au plus trente pas. De là où je me trouvais je ne pouvais voir qu'une partie de l'intérieur de chez Wolfie's. Alors je descendis de la camionnette. La nuit n'avait pas réussi à abaisser la température, et la chaleur emmagasinée par le goudron remonta jusqu'à mon visage. Je n'avais pas l'intention d'entrer, pas ce soir, une autre fois peut-être, mais pas ce soir. Seulement passer devant les vitrines, essayer de l'apercevoir. Aller et revenir, juste une fois, et repartir.

Elle n'était pas là. Semblant tenir son rôle, un homme âgé, le cheveu et la mise oxfordienne, incongrue dans un deli, paraissait mener une petite troupe dans laquelle je ne reconnaissais personne. Dix ans. Le monde et tellement d'autres choses avaient changé.

Je repassai plusieurs fois devant la devanture, mendiant la moindre information, guettant un visage familier, une indication, un signe. Je remontai dans la camionnette. La Norvège avait disparu. Tout ce que j'avais aimé n'était plus là.

Sur le chemin du retour, je croisai deux énormes paquebots de croisière qui appareillaient pour Nassau, aux Bahamas, et San Juan, à Porto Rico. Les ponts ruisselaient de lumière, les coques entaillaient l'eau noire, on aurait dit deux petits continents qui s'éloignaient des terres.

Le lendemain j'avouai à Epifanio ma visite sur Collins Avenue. « Qu'est-ce que tu es allé faire là-bas ? C'est fini tout ça. Dix ans, c'est fini. Tout a changé. *Se acabó.* » Comme je l'avais déjà fait de Toulouse, au téléphone, je lui demandai s'il avait appris quelque chose à propos d'Ingvild, s'il était revenu chez

Wolfie's, s'il l'avait aperçue. Il me dit que non, qu'il n'y était jamais allé, que c'était bien trop loin, qu'il avait trop à faire, que de toute façon il ne prenait jamais le MacArthur Causeway, et surtout que, lui, n'avait aucune raison de manger dans ce restaurant. Il m'affirma tout cela avec le luxe d'arguments, la franchise et l'aplomb d'un homme qui ment.

Pour essayer d'assommer mon esprit, je passai les deux jours suivants à décharger une centaine de jeunes palmiers de Floride, baptisés *serenoa repens*, et à les aligner pour la vente comme des voitures neuves. Chaque container pesait, pour moi, un âne mort. Spartanburg, elle, s'amusait de ces charges qu'elle déplaçait et manipulait comme s'il s'agissait de fauteuils de plage. Joey et Olivia se parlaient indifféremment en espagnol et en anglais, passant d'une langue à l'autre comme on glisse sur un piano des graves vers les aigus. Ils montaient et descendaient les gammes à leur guise, se livrant à cet exercice sans heurts ni dissonances, donnant aussi à leur conversation une tonalité imprévisible qui traduisait aussi une complicité sans faille.

De l'extérieur, rien n'avait véritablement changé. Toujours ce gigantesque bâtiment parallélépipédique, sorte d'entrepôt d'aérogare plaqué d'une façade de Palais des Congrès bâclé sur laquelle un architecte, forcément malheureux en ménage, aurait déployé, en éventail, six monumentales chisteras noires, pour que, giflé par une pareille signalétique, chacun comprenne avant de franchir le seuil de quoi il allait être question à l'intérieur.

Il fallait bien que je revienne ici, que je revoie ce petit monde clos dans lequel j'avais vécu les meilleures années de ma vie. Quatre années durant lesquelles j'eus le sentiment d'avoir trouvé l'endroit que j'avais cherché pendant si longtemps. Un univers réduit à la taille des hommes qui le composaient. Pour y vivre, il suffisait de porter un gant d'osier, de réussir des gestes simples cent fois répétés, de transpirer dans du jersey, de respirer l'odeur du vestiaire, et de plonger, pour une longue apnée de bonheur, dans le grand aquarium de verre.

Depuis son départ du syndicat, Joey n'était jamais revenu au Jaï-alaï. Et il découvrait avec moi les vestiges de ce monde englouti. Dans ces arènes vides, les joueurs, vigoureux fantômes, continuaient à tenir leur rôle, à respecter les règles, à enchaîner les *quinielas*. Mais de l'autre côté de la paroi, ils n'étaient plus qu'une quinzaine à les regarder d'un œil lointain, comme l'on observe des pigeons dans un square quand on n'a rien de mieux à faire. Ils avaient parié deux ou trois dollars et attendaient de savoir si la chance accepterait pour une fois de leur doubler la mise. Un gardien qui nous avait reconnus nous raconta que c'était tous les jours comme ça. Le week-end, cent cinquante, deux cents personnes. Le premier étage ? Fermé. Le restaurant quatre-étoiles ? Parti sous d'autres cieux. « La grève a duré tellement longtemps que les gens sont allés se distraire et parier ailleurs. Je ne sais pas combien de temps ça va durer. Ils disent qu'ils veulent ouvrir un casino à côté. À part moi, il ne reste plus personne de votre époque. Ni patrons, ni joueurs. »

Durant les pauses, dans ce silence de ténèbres, on pouvait presque entendre les résurgences de ce monde enfoui, les applaudissements des quinze mille *happy taxpayers* venus là griller des jetons de bonheur, le bruit des verres avalant les bouteilles d'alcool, celui des fourchettes effleurant la porcelaine, voir les femmes et les hommes convoitant le plaisir, les pelotes giclant dans la furie des gants, fouettées jusqu'au sang, les lumières sur les tables, lampions d'un Noël éternel, le tabac qui montait jusqu'au ciel, les guichets où l'on se battait pour corrompre le sort, Sinatra, Newman, Dickinson, Borgnine, Cage, Willis, Cruise qui défilaient comme des comètes, et peut-être, au premier étage, la Norvège, assise dans toute sa splendeur, regardant d'un œil froid ce monde futile s'ébattre dans son enclos sans se douter que tous autant que nous étions, danseurs de fandango, allions être balayés par la valse des modes.

Joey, le gardien et moi. Nous étions assis tous les trois côte à côte dans cette gare vide, et nous regardions les parties défiler les unes après les autres. Au bout d'un moment, oubliant la nudité du monde, ce néant qui nous englobait, pris par l'incandescence du jeu, nous retrouvâmes cette fièvre qui accompagnait chaque coup, cette envie de reprendre du service, de remonter sur les planches dire et redire ce texte que nous connaissions par cœur, même si nous l'avions négligé depuis de si nombreuses années. Nous avions retrouvé ce sourire originel, simple, provoqué par la somatotopie du cortex moteur et les dix-sept zygomatiques mineurs et majeurs, et jaillissant, pour ce qui nous concernait, des glandes mystérieuses du bonheur.

Quand, dans ma jeunesse, pour une raison ou pour une autre, mon père détectait sur mon visage pareil état de contentement et de félicité qu'il assimilait au ravissement d'un simple d'esprit, il avait pour coutume de dire, avec une certaine condescendance et pas mal de mépris : « Paul, épargne-nous ton sourire basque. » Bien des années après, en cette après-midi, au milieu d'un monde déplumé, j'affichais cette tête de ravi, face à une crèche païenne qui gesticulait dans tous les sens.

Sur la route qui nous ramenait à la jardinerie, Epifanio et moi gardions le silence. Ce que nous avions vu n'avait pas à être commenté. On ne juge pas l'équipage et l'allure d'un enterrement. Sauf que, dans celui auquel nous venions d'assister, les morts étaient en pleine forme et donnaient aux vivants des fourmis dans les jambes.

Encore imprégnés des images et de l'atmosphère de l'après-midi, Joey et moi restâmes très discrets pendant le dîner. Spartanburg essaya bien de fouetter notre langueur avec des plats épicés et quelques plaisanteries de Caroline du Sud mais sa voix bienveillante se perdit dans le vide sidéral que nous venions de côtoyer. À la fin du repas, Epifanio se leva, me frictionna amicalement la nuque, prit sa femme par la taille, l'embrassa et l'emmena directement dans la chambre. Je savais qu'il allait la baiser comme un type qui venait de remporter toutes ses *quinielas*. Ensuite, il regarderait le plafond avec un sourire basque.

C'était un automne brûlant avec, durant la journée, des chaleurs écrasantes de moiteur, et la nuit, un faux répit poisseux qui engluait le sommeil dans des taux d'humidité vertigineux. Il avait plu toute la journée et toute la journée j'avais pensé au Wolfie's. Le soir, en secouant la tête comme un homme qui plaint son prochain, Joey me tendit les clés de la camionnette. « Puisque c'est ça que tu veux. » Puis, s'adressant à Spartanburg : « Comment on dit *cabeza de hierro* en anglais ? Tu as entendu la réponse Pablito ? Tu es *un médico stubborn as a mule*. Allez *callate burro.* »

836, A1A, MacArthur, Collins. Le cœur qui galopait, ratait quelques marches, se rattrapait à la rampe et repartait. La vitre ouverte malgré la pluie qui tombait. Les odeurs, épaissies par la nuit, se succédaient comme des bancs de brouillard. Le Causeway et la certitude de glisser au-dessus de l'eau. La pointe sud de Miami Beach, le cul du chenal, les années perdues, Delano, Swartburg, Cermak, Giuseppe Zangara et surtout Wilfred Cohen, celui qui était à l'origine, celui qui en 1940 avait ouvert le *Jewish deli* qui avait changé le cours de ma vie.

Le temps de traverser l'avenue, les trombes d'eau m'avaient transpercé et c'est dans une tenue de noyé que je pénétrais dans le restaurant. Seulement une moitié des tables et du comptoir était occupée. Il y a dix ans, à cette heure-ci, il n'était pas rare d'attendre debout, au bar, qu'une place se libère.

Je m'avançais vers l'homme que j'avais vu la veille et qui présidait aux destinées de l'entreprise. Il me considéra comme quelqu'un qui déteste l'humidité, me tendit un menu plastifié et dit : « Asseyez-vous où vous voulez, je vous envoie quelqu'un. » Lorsque je lui dis que je n'étais pas venu pour dîner mais pour savoir si je pouvais parler à madame Lunde, il prit un air hautain qui le fit un instant ressembler à Dirk Bogarde dans *The Servant* de Joseph Losey. « Cette personne ne travaille plus ici. »

Ses yeux s'étaient détachés des miens. Pour lui, je n'étais plus là, j'étais parti, remonté dans le camion qui roulait sur le Tamiami. Il fouillait dans ses papiers, et indiquait du doigt une table à un serveur. « Est-ce que vous savez s'il y a une adresse ou un téléphone où je pourrais la contacter ? » Avant que Bogarde esquisse une réponse, je sentis une main se poser sur mon épaule. « Vous êtes le médecin. Vous avez travaillé ici autrefois, pas vrai ? » C'était sans doute le plus vieil employé du restaurant, le plus vieil employé de la plage et sans doute de toute la Floride. Il flottait dans sa tenue et son cou de tortue s'employait à tenir bien droit une belle tête de brave homme. « Je me souviens du soir où vous avez soigné un type qui se tordait par terre. » Se tournant vers son employeur il dit : « Ce monsieur a travaillé ici du temps de l'ancienne direction. » Confit dans son élégance britannique, le poil cranté, le patron prit acte de l'information comme l'aurait fait à sa place un agent du fisc.

Avant de repartir, je demandais au vieil homme s'il avait des nouvelles de madame Ingvild Lunde. « Elle a quitté le restaurant à la même époque que vous, je crois. Un jour, elle nous a tous réunis pour nous annoncer son départ. On a appris ensuite qu'elle était très malade, je ne me souviens plus du nom de ce dont elle souffrait mais je crois que ça concernait les nerfs ou le cerveau. Il y a deux ou trois ans on m'a dit qu'elle était soignée dans un endroit spécialisé à Key West. C'était une femme splendide et tellement gentille. Vous avez vu celui qui l'a remplacée ? Une vraie tête de bite, sauf votre respect. Résultat, deux fois moins de monde. Vous vous souvenez à l'époque ? »

Le camion rentrait chez lui. J'étais au volant, mais c'est lui qui me ramenait à la maison. Si je me souvenais de l'époque ? De chaque minute, de chaque seconde de cette époque où, après mon travail, je montais les marches du Delano retrouver celle que j'aimais, celle qui me soulevait de terre et me gardait jusqu'au matin au fin fond de la naissance du monde.

Dehors la pluie redoublait. Olivia et Joey dormaient en rêvant peut-être à Spartanburg, son usine de pneus et ses 30 000 habitants. Je pris une longue douche, rentrais dans ma chambre et regardais le lit. Il était grand, sans doute un *king size*, pourtant il y avait bien longtemps que je n'avais plus de reine.

Contrairement à ce que je redoutais, Joey comprit parfaitement ma décision de partir à la recherche d'Ingvild. Pour des raisons de confidentialité, aucun centre de soin ne me donnerait des renseignements par téléphone sur sa présence ou sa santé. En revanche, en me rendant sur place et en faisant valoir ma qualité de médecin, je pensais pouvoir la retrouver et obtenir des informations sur sa maladie. Key West est une toute petite ville tropicale, aux confins de l'Amérique à laquelle elle est suspendue par un filin. Beaucoup de sidéens venaient y terminer leur existence parce qu'il y faisait bon vivre. Je connaissais bien le chemin pour s'y rendre tant je l'avais emprunté quand je vivais encore ici.

Je louai une voiture, une chose pitoyable sentant le neuf modelé par la pétrochimie, fabriquée à la va-vite sur un bout de Corée mais qui avait, au moins, le mérite de connaître, elle aussi, le parcours, d'abord la route One, puis Key Largo, Tavernier, Islamorada, Marathon, Pigeon Key, le Seven Miles Bridge où l'on volait littéralement au-dessus de l'océan et enfin Key West, île ultime, reliée à toutes les précédentes et au continent par ce minuscule bracelet de bitume qu'est l'Overseas Highway.

Si Miami était latine, Key West sentait déjà la Jamaïque. Personne ne venait ici pour réussir dans l'informatique ou la robotique. Personne. Cet endroit était fait pour traîner, prendre du temps, en espérant, autant que possible, qu'il soit le meilleur possible. Les maisons de bois se glissaient sous les palmiers et la végétation tropicale. Les visiteurs les plus malins buvaient des boissons fraîches en lisant les journaux sous de grands ventilateurs pendant que les autres, à l'heure où le soleil faisait fondre les routes, faisaient la queue à l'angle de Whitehead et de South Street pour se photographier devant une énorme colonne de bronze, nommée Southernmost Point, chacun faisant semblant d'oublier que les premières terres de Cuba se trouvaient à peine à soixante kilomètres plus au sud. Il existait des milliers de Southernmost Point de par le monde. À condition d'être américain et pas très regardant, on pouvait se contenter de celui-là.

Je louai une chambre à deux pas des jardins tropicaux d'Audubon House. Avec la maison et le bar d'Hemingway, cet endroit était l'un des plus visités de la ville. Si ce célèbre ornithologue, né français puis naturalisé américain, savait comme personne dessiner et identifier les oiseaux, il avait en revanche de bien curieuses méthodes. Pour réaliser ses planches, les peindre correctement, il tuait ses spécimens avec du tout petit plomb afin de ne pas endommager le plumage. Ensuite il utilisait du fil de fer pour structurer l'oiseau et lui rendre une apparence de vie. Il pouvait alors commencer le dessin. Sa curiosité pour de nouvelles espèces étant sans limites, il se livrait à de véritables massacres partout où il passait, tuant tout ce qui volait, espérant dans le lot de cadavres trouver l'animal rare qu'il recherchait. Ainsi il avait coutume de dire : « Je dis qu'il y a peu d'oiseaux quand j'en abats moins de cent par jour. »

En 1850, on tenait un tel homme pour un amoureux de la nature.

De la fenêtre de ma chambre je ne voyais que des arbres, et justement une foule d'oiseaux qui racontaient leur vie, voletaient de branche en branche dans le jardin tropical de leur ancien prédateur, et semblaient s'enorgueillir d'aller chier sur le toit du petit musée de John James Audubon. Je m'endormis tard, la fenêtre ouverte, laissant la brise entrer et sortir à sa guise.

Il n'y avait qu'un hôpital à Key West, le Depoo Hospital. J'y fus reçu aimablement, ma demande instruite, mais l'on m'indiqua qu'il n'y avait aucune patiente du nom de Lunde en traitement. En revanche on me donna le nom d'une résidence de soins spécialisés qui se trouvait au nord de la ville, sur Stock Island.

Le Keys Neurological Center. Pas très loin d'un golf. Près d'un collège. Proche de l'océan. L'apparence d'un hôtel franchisé. Des arbres adultes, des pelouses grasses, deux kiosques entourés de cornouillers à fleurs. Un accueil bienveillant, des procédures simplifiées, et une infirmière qui dit : « Vous êtes médecin et ami de madame Lunde, si j'ai bien compris. Je vous confirme qu'elle est bien ici. Vous pourrez la voir si le docteur Glamorgan vous donne son accord. Il va venir dans un instant. »

Glamorgan. Sans doute né dans le comté du même nom. Vraisemblablement écossais de souche, un visage et des mains tavelés d'éphélides, la stature d'un coureur de tourbe, une voix douce, polie à l'orge et aux gorgées de Seven Giraffes. Il suivait Ingvild Lunde depuis plus de cinq ans. La maladie de Huntington, forme tardive. Diagnostiquée en 1988.

Troubles moteurs épisodiques, atteinte cognitive sévère. Et l'inévitable déclin, la poursuite inexorable de la dégénérescence neurologique en guise de pronostic. Parfois elle était présente. Le plus souvent sa vie se déroulait ailleurs. Pas de gestes désordonnés comme c'était parfois le cas dans cette maladie mais des troubles passagers de la déglutition et de sévères difficultés d'équilibre qui la condamnaient au fauteuil. Tel était aujourd'hui, à 68 ans, l'état de santé d'Ingvild Lunde. « Vous pouvez venir la voir aussi souvent que vous le voudrez. Ne soyez pas surpris si elle ne vous reconnaît pas, vous savez comme moi ce qu'il en est. Nous avons ici quarante résidents en permanence. Quarante énigmes toutes différentes, que nous nous efforçons d'essayer de résoudre, sachant cependant que nous n'y parviendrons pas. Personne n'est jamais sorti d'ici guéri. Nous exerçons une médecine qui essaye juste de soulager, de retarder l'échéance, de gagner du temps. » Glamorgan tourna la paume de ses mains vers le ciel, avec le fatalisme d'un homme qui vit toutes ses journées parmi des décombres. Il me serra la main et s'éloigna dans le couloir par lequel il était venu.

Elle portait ce qui me parut être une chemise d'homme, ample, blanche, un pantalon de lin beige et des chaussures de tennis en toile bleu marine avec des lacets écrus. Ses cheveux, inaltérables, semblaient toujours vouloir se déprendre de la contrainte d'un chignon. Elle était assise sur un fauteuil roulant. Elle regardait les cornouillers. Ou les insectes qui dansaient autour des cornouillers. Ou quelque chose d'autre, que ni moi ni personne ne pouvions percevoir. Son visage, amaigri, vieilli, était toujours aussi beau. Il demeurait tel que dans ma mémoire, noble, digne, lissé par la lumière du matin, au sommet des étages du Delano. Quand elle me vit, elle me considéra comme elle observait le vol des papillons ou des libellules bleues.

Je pris sa main dans la mienne, je sentis des os, des cartilages, les filaments des tendons entassés en vrac dans le gant de la peau. Je dis : « Je suis Paul. » Rien sur son visage n'indiqua qu'elle m'entendait, qu'elle me comprenait ou mc reconnaissait. J'embrassai sa main et je pleurai. Je voulais croire qu'elle était encore là, tapie quelque part dans l'ombre de ce corps, à essayer de récupérer des fragments de sa vie, de m'adresser un signe. Nous étions réunis et ce jardin, ce kiosque, cette langue de terre était notre maison. Partout où était cette femme était ma maison. J'avais envie de prendre Ingvild dans mes bras, tout entière, les os, le fatras des tendons et la peau, la sortir de ce fauteuil, lui arracher Huntington de la tête, et repartir vers le nord, avec elle, debout dans ses tennis bleu marine à lacets écrus, elle marchant au travers des pelouses, bien droite, aussi heureuse et belle qu'au temps où je passais les plats en apprenant à l'aimer.

Je restai toute la journée auprès d'elle, à guetter quelque chose, un regard intrigué, un instant de mémoire, une main qui me serre pour me dire : « Ne t'en fais pas, je suis là. Je n'en ai pas l'air, mais je suis là. Je te reconnais, tu es Paul, et je suis heureuse que tu sois venu. » Je l'ai conduite au bord de l'océan et je lui ai raconté ce à quoi avait ressemblé ma vie pendant ces dix années. Je lui ai parlé de Watson, mon précieux compagnon, de mon travail que je n'avais jamais aimé, de la maison si grande et du Pays basque, du Jaizkibel, de la Concha, des cierges des églises Santa María et San Vicente, de tout ce que je savais de la Norvège, des sculptures de Gustav

Vigeland aux falaises de Stavanger sans oublier le Kon Tiki. Et quand tous les mots furent épuisés, quand je ne sus plus quoi dire de ces années passées, je pris son visage entre mes mains et, peut-être en bokmål, peut-être en nynorsk, lui murmurai plusieurs fois *Kvinnen i mit liv*.

De retour à la résidence, nous sommes restés encore un moment ensemble pour regarder le soleil se coucher. Alors qu'il allait disparaître, je me souvins d'un petit poème de Maurice Carême que j'avais appris à l'école, enfant. Je m'approchai du visage d'Ingvild et, d'une voix perceptible d'elle seule, je dis : « Le chat ouvrit les yeux / Le soleil y entra. / Le chat ferma les yeux / Le soleil y resta. »

Je crus alors sentir sa main frissonner, mais je savais que seul Huntington et ses âmes damnées tiraient les ficelles de ce frémissement. Je l'embrassai, imprimai longuement son visage dans ma mémoire avant de nous séparer, une infirmière vint la chercher puisque c'était l'heure, et Ingvild, lentement, entra dans la nuit.

Je passai une grande partie de la mienne à marcher dans les rues de la ville. Le quartier des Lucayes – l'autre nom des Bahamas –, Duval, Fleming, Mallory Square, n'importe où, de gauche et de droite. Je tournai en rond dans un monde de quadrilatères. Je m'efforçai de ne rien revoir de cette journée, concentré sur ce qu'était ma tâche, lancer une jambe devant l'autre, tenir le rythme, avancer comme l'avait peut-être fait Spyridon avant moi, ne penser qu'au chocolat, au bœuf entier et à toutes ces drachmes, longer le port, laisser le Sloppy Joe's et quelques autres bars se disputer la paternité de l'ivrognerie d'Hemingway, traverser le cimetière sans déranger les morts, laisser toutes les « Casa Marina » tremper dans l'océan, regarder la vie cuver sur les terrasses, et le plaisir tisser sa toile à coups de margarita, de piña colada et de sweet tea bourbon.

Vers 3 h 30 du matin je pris conscience que je n'avais rien mangé depuis le début de la journée. Un restaurant de rue cuisait encore du poisson. Je pris un *red snapper*, en fait du vivaneau arrosé d'un filet de citron vert. J'avalais cela comme doivent le faire les coureurs de fond, sans plaisir ni discernement, juste pour rééquilibrer un déficit énergétique.

C'est en quittant cet endroit que je fus submergé par une étrange envie, presque un besoin, celui de me battre. Pour n'importe quoi, contre n'importe qui. Un combat d'ivrogne, de sauvage, sans rime ni raison, parce que c'était lui et que je n'étais plus moi, cogner à l'emporte-pièce, rouler par terre, en prendre une bonne et ne pas la sentir, se relever avec le goût du sang dans la bouche et se dire que, maintenant ça y était, les choses sérieuses pouvaient commencer, se ruer sur l'autre, l'empoigner, lui fendre sèchement le nez d'un coup de tête, se dire qu'on tenait le bon bout que c'était presque fini, mais au moment où l'on reprenait sa respiration, recevoir, parti d'on ne sait où, un coup de pied dans la mâchoire qui écroulait l'échafaudage jusque-là patiemment construit, ensuite le bruit d'un plancher orbital qui craquait, un poing qui revenait à la charge, les yeux qui se fermaient pour ne pas voir la suite, les bruits de la rue et les cris des passants qui s'estompaient, les douleurs qui s'évanouissaient, les muscles qui lâchaient les uns après les autres et l'édifice entier qui s'écroulait, d'un bloc, sans tituber, satisfait de son sort et de ce moment d'oubli qu'il était venu chercher.

Lorsque je me couchai, les oiseaux d'Audubon commençaient à chanter. Je fus réveillé par un violent orage. Le fracas du tonnerre semblait vouloir casser cette île en deux. Sans doute les dieux voulaient-ils me signifier qu'après mes pensées belliqueuses de la veille, je n'étais plus le bienvenu dans la *Conch Republic*.

Sur Flagger Street je fis confectionner un gros bouquet, mélange de roses et de fleurs locales. Tout en procédant à son arrangement, le commerçant cherchait à engager une conversation. Il avait une stature impressionnante et des mains grasses et larges. Je l'observais couper et rafraîchir les tiges. Il manipulait les fleurs avec des manières et des gestes brusques, comme s'il s'agissait de colis postaux. Au moment de payer, je songeais que pour la bagarre de cette nuit, il aurait fait un partenaire formidable.

L'infirmière de jour me dit qu'Ingvild Lunde était dans le jardin et qu'elle allait bientôt partir à sa séance de physiothérapie. Je me fis conduire dans sa chambre et disposai les fleurs dans un grand vase. Déployé, le bouquet était majestueux, les couleurs dansaient dans l'air, pressées d'annoncer une bonne nouvelle. « Il est magnifique. Je suis certaine que ça lui fera plaisir », dit l'infirmière.

Puis, je disparus comme un voleur, sans pouvoir dire un seul mot, poussé par une marée de larmes qui me projeta dans mon véhicule de location coréen toujours malodorant mais qui, fort heureusement, connaissait aussi le chemin du retour. Le système de climatisation était en panne. Vitres ouvertes, l'air de la mer remplaçait avantageusement les fraîcheurs compressées d'un fluide caloporteur.

Ce que je vis en quittant Key West faisait penser à la description qu'en donnait Hemingway en 1937 : « Un grand yacht blanc entrait dans le port et à sept milles au large sur l'horizon, on voyait se détacher nettement, sur la mer bleue, la minuscule silhouette d'un pétrolier qui faisait route vers l'ouest en serrant les brisants, afin de ne pas gaspiller de combustible à contre-courant. »

Depuis toujours le monde était immobile.

HESPÉROPHANES

Spartanburg et Joey écoutèrent la fin de mon histoire en se tenant la main. On aurait dit deux enfants essayant de se rassurer, effrayés qu'ils étaient soudain de la tournure prise par la fin de ce conte, l'infortune de la reine, le chagrin du roi, le soleil dans les yeux du chat, les fleurs qu'elle ne verrait pas. De temps à autre, Olivia, qui n'oubliait pas ses origines, prélevait une grignote de poulet frit dans un seau de carton. Epifanio, lui, ne faisait rien, ne mangeait pas, ne bougeait pas et semblait pétrifié par ce qu'il entendait. À un moment, pour tenter de justifier son pieux mensonge de la semaine écoulée il dit : « C'est vrai, je savais qu'elle était malade. Je savais qu'elle était malade, mais pas comme ça. »

Sans doute désireux de conclure la fable et de lessiver tout ce passé douloureux, un violent orage éclata et transforma la terrasse en un miroir qui éclatait en mille morceaux sous les rafales de l'averse. Je me souviens alors d'avoir dit cette chose étrange à Olivia : « Est-ce que tu sais à quelle vitesse tombent les gouttes de pluie ? Quels que soient la hauteur du nuage et le poids de chacune, elles arrivent toutes sur le sol à une vitesse à peu près constante, comprise entre 8 et 10 km/h. Et cela est dû à leur forme qui augmente l'effet de frottement dans l'atmosphère et empêche leur accélération. »

Le soir de la mort de ma mère, mon père faisait cuire du foie de veau. Le soir où je perdais Ingvild, je pontifiai sur l'aérodynamique et la mécanique des fluides. J'étais bien le fils de la famille.

« On t'a fait une surprise mon ami. » Joey ouvrit la porte de la cuisine et je vis sortir une petite chienne à peine âgée de quelques mois. Elle ébroua son pelage entièrement blanc, regarda cette assemblée qui venait visiblement de la tirer de son sommeil, s'étira et vint se coucher aux pieds d'Epifanio qui en éprouva visiblement une certaine fierté. « C'est elle la surprise. Avec Spartanburg on a décidé d'adopter cette chienne. On l'a depuis hier. Mais on ne lui a pas encore donné de nom. On voulait t'attendre. Parce que tu sais t'y prendre avec les chiens, et que tu les connais. Alors on s'est dit que tu allais la baptiser et lui porter chance. »

Il n'y avait qu'Epifanio pour croire sincèrement que je pouvais porter chance à quiconque. Même les parieurs au Jaï-alaï se défiaient de moi. Pourtant, à peine avait-il fini sa phrase que je dis : « Laïka. »

En 1962, rue des Puits-Clos, il y avait à Toulouse, une boutique qui vendait des chiots. Ils étaient exposés en vitrines, dans des paniers, et allaient et venaient dans un enclos recouvert de quelque chose qui ressemblait à de la paille. Je pouvais rester des heures à les observer, à en choisir un dans le lot, à me dire qu'il serait mon meilleur ami et que nous resterions toujours ensemble. Le hasard voulut qu'un jour j'aie remonté cette rue en compagnie de ma mère et qu'elle ait accepté d'entrer avec moi dans ce magasin. J'avais à peine 6 ans et je considérai ce jour-là comme le plus beau de toute ma vie. Il ne me fallut pas longtemps pour m'attacher à l'un de ces animaux. C'était une petite chienne. Elle m'attendait. J'étais venu la chercher. Ma mère dit au vendeur que nous la prenions et je l'emportai dans mes bras pour traverser la ville jusqu'à la maison. Le miracle s'était produit. Je lui avais déjà trouvé son nom. Laïka. Comme la chienne que les Russes avaient envoyée dans l'espace en 1957 et dont mon grand-père m'avait raconté l'épopée en embellissant les choses.

Mon père fut insensible au patronyme slave de l'animal et cria que, lui vivant, aucun animal, d'aucune sorte, n'entrerait dans une maison hébergeant un cabinet médical. Laïka passa la nuit auprès de moi, et, au matin, quand je me réveillai, elle n'était plus là. Mon père l'avait rapportée rue des Puits-Clos. Affaire close.

Entre autres griefs, je n'ai jamais pardonné à Adrian ce qu'il fit ce jour-là. Surtout quand, plus tard, je connus la véritable histoire et le destin de celle que les journaux appelaient alors « la petite chienne de l'espace. » Pour être les premiers à expédier un être vivant aux limites de l'exosphère, et célébrer allègrement le 40e anniversaire de la révolution d'Octobre, les Soviétiques avaient bricolé à la va-vite – sept semaines à peine – un engin habitable baptisé Spoutnik. 508 kilos, une grosse boule à facettes équipée de quatre antennes et d'un logement, dans sa partie inférieure, pour accueillir l'animal. L'engin fut lancé le 3 novembre 1957. La légende de Baïkonour veut que l'on se fût préoccupé du bien-être de Laïka en lui procurant de l'eau, de la nourriture, de l'air et même un système de recyclage de ses déjections. En outre, un mécanisme de distribution d'aliments empoisonnés devait être actionné avant que le Spoutnik n'amorce sa phase de retour sur terre et se désintègre au contact de la stratosphère. En réalité Laïka – « petit aboyeur » en russe – mourut de chaleur et de stress sept heures après le décollage de l'engin, à la suite de la mise hors service du système de régulation de température, lors du détachement d'un étage de la fusée porteuse. C'est ainsi qu'en l'honneur du praesidium suprême et du « déstalinisateur » Nikita Khrouchtchev, maître de forge chargé du rayonnement des républiques soviétiques, le cadavre de la petite chienne tourna pendant cent soixante-trois jours en orbite terrestre avant d'être totalement carbonisé dans une capsule chauffée à blanc lors de son retour sur terre le 14 avril 1958. Telle était la guerre froide.

Joey écouta mon histoire avec la plus grande attention, puis réfléchit un moment en se grattant la joue. Il chercha du regard l'approbation de Spartanburg puis, l'ayant obtenue, dit : « Tu vois, Petit Aboyeur, à moi, ça me plaît bien. » Et il caressa le flanc de la chienne. Elle entrouvrit les yeux, examina un instant cette assemblée d'humains qui ne lui paraissait pas menaçante, glissa comme un *lunde* son museau sous l'aile de son maître et retourna très vite en orbite autour de son sommeil.

Le lendemain Epifanio me proposa d'aller faire un tour au Jaï-alaï mais je déclinai son offre. La tentation de voir du jeu était encore forte, mais j'aurais eu, une seconde fois, l'impression d'assister à un spectacle de ballet dans un funérarium. Alors il m'emmena grignoter quelque chose à la *taquería* El Carnal, une gargote mexicaine située dans l'ouest de Little Habana. Des chaises en métal, des tables sur le trottoir et le flot de la circulation en bruit de fond. « J'aime leurs putains de tacos. J'y peux rien j'aime ça. Spartanburg, elle, déteste ça. *Demasiado picante*. Tu as vu, à la maison c'est poulet, poulet, poulet. Alors de temps en temps je viens ici. *Un chili, un taco, un burrito, gracias Pancho.* » En rentrant, Olivia nous accueillit comme si nous revenions de Norvège et Laïka nous fit aussi une petite fête à sa mesure.

Mon séjour se terminait. Pityriasis, tendinites et autres colites devaient déjà piaffer devant le cabinet. En disant cela à Joey et Olivia, je pris soudain conscience que les seules choses qui m'attendaient à la maison étaient des maladies. Toute la famille me reconduisit à l'aéroport. « Petit aboyeur » voyagea sur mes genoux, Spartanburg m'ouvrit grand ses bras devant le hall des départs et Joey me serra dans les siens. Au dernier moment il me glissa ces mots dans l'oreille : « Si tu veux, dis-le-moi, j'irai la voir. »

À Noël, dans le jardin, je ratissais les feuilles mortes de l'automne. Pour le premier de l'an, je nettoyais le moteur, les tapis de sol et l'intérieur de la Triumph. L'emploi du temps pendant les fêtes d'un homme comblé.

Les consultations et les visites reprirent leur rythme de croisière. La grippe saisonnière fit son travail et moi le mien.

À partir du 1er janvier, je fus rétribué en euros. Ce changement de monnaie occupa l'essentiel des conversations dans le cabinet pendant plusieurs mois.

En revanche, bien peu me parlèrent de la loi n° 99-477, promulguée le 10 juin 1999. Elle autorisait pourtant « toute personne malade dont l'état le requiert à avoir le droit d'accéder à des soins palliatifs, et à un accompagnement. Les soins palliatifs sont des soins actifs et continus pratiqués par une équipe interdisciplinaire en institution ou à domicile. Ils visent à soulager la douleur, à apaiser la souffrance psychique, à sauvegarder la dignité de la personne malade et à soutenir son entourage ».

L'étrangeté de la vie voulut que, moins de deux mois après la publication de ce texte, deux de mes patients, à une semaine d'intervalle, m'expriment leur volonté de mourir. Aux deux je parlai de ces nouvelles dispositions, dites 99-477, et l'un comme l'autre les récusèrent sans vouloir connaître le détail ou la mise en œuvre du dispositif. Pour eux, il n'était plus question d'apaiser, de soulager, de réconforter ou de sauvegarder quoi que ce soit. À ce stade, avec tout ce qu'ils avaient enduré, souffert, le mot de dignité n'avait plus de sens. Seule la mort pouvait les sortir de là. Au plus vite. En urgence. Et sans discuter de choses inutiles. « Aidez-moi. Ou donnez-moi ce qu'il faut », dit l'un. « Sortez-moi de là, faites que ça s'arrête », demanda l'autre. Entouré de la famille, pour le premier, en tête-à-tête avec le second, je fis ce que l'on m'avait demandé. Dans les délais requis. Je pris grand soin de chaque détail. La précision et la rapidité de l'opération, la douceur de chaque geste et, à la toute fin, la main qui tenait la main. Les certificats. Le trajet de retour au cabinet qui n'en finissait pas. Toujours à pied. Le portillon du jardin, la maison. Et tout ce qu'elle contenait. Le parquet de l'entrée sur lequel, autrefois, m'attendait le chien. Les pathologies des morts et leurs noms inscrits dans les carnets du bureau. L'âge, le jour, le mois, l'année et l'heure. L'ordre. Un verre de soda dans la cuisine. Les pièces vides. Le silence. Personne.

Ces soirs-là, lorsque j'éteignais les lumières, j'avais le sentiment d'héberger des larves d'hespérophanes qui creusaient des galeries dans mon corps et dans ma tête. Exactement comme elles le faisaient dans des poutres d'aubier ou de chêne. Avec la même constance, le même aveuglement. Je pouvais presque ressentir leur reptation, entendre le bruit de leurs mandibules grignotant les parois. Ces bestioles étaient peut-être celles qui étaient venues à bout de toutes les charpentes des Gallieni et des Katrakilis, édifices fragiles avec leurs emboîtements tenon-mortaise chevillés à la va-vite. La dopamine n'avait rien à voir dans l'histoire. La dopamine ne creusait pas ce genre de galerie, la nuit. La dopamine n'avait pas deux mandibules ni un corps blanc, gras et annelé.

J'avais 44 ans, la vie sociale d'un guéridon, une vie amoureuse frappée du syndrome de Guillain-Barré et je pratiquais avec application et rigueur un métier estimable mais pour lequel je n'étais pas fait. J'allais au cinéma, j'écoutais de la musique, lisais des magazines de nautisme et suivais de loin en loin l'actualité du rugby. Je ressemblais à la plupart de mes voisins. À ceci près qu'eux n'avaient jamais eu à toucher une fiole de pancuronium. Les gestes qu'avait faits mon père, ceux que j'avais accomplis à sa suite étaient tout à fait normaux, légitimes, humains. Simplement ils étaient difficiles à mettre en œuvre. Le doigt n'appuyait pas naturellement sur le piston de la seringue. Il fallait que le cerveau insiste, aille parfois jusqu'à contraindre la main, tordre le poignet. Personne ne nous avait appris à éteindre des vies, à voir s'en aller quelqu'un sur notre injonction. Au contraire. On nous avait enseigné que c'était là le privilège des dieux, ce que, fort heureusement, nous n'avions jamais été.

Quand je regardais autour de moi, je ne voyais rien qui ressemblât à de la vie. Je traitais en permanence avec les maladies, la mort et les disparitions des miens. Il y a trois ans, lors du suicide de Margaux Hemingway, j'avais été frappé par l'incroyable destinée qui emprisonnait cette famille, laquelle, à certains égards, me rappelait parfois la nôtre. Ernest

Hemingway et sa petite-fille n'étaient pas les seuls à s'être supprimés. Le grand-père de l'écrivain, Ernest Hall, son père, Clarence, son frère, Leicester, sa sœur, Ursula, avaient eux aussi mis fin à leurs jours. Dans le cas de l'écrivain on avait découvert qu'il souffrait, entre autres, d'hémochromatose, une pathologie génétique qui se caractérisait par une surcharge de fer dans l'organisme, notamment dans l'hypophyse, le foie et le cœur, pouvant provoquer d'irréversibles lésions physiques et mentales. Je découvris aussi que Clarence Hemingway, dont les taux ferreux ne furent jamais communiqués, s'était suicidé chez lui, à Oak Park, dans l'Illinois. Il était rentré pour déjeuner vers midi, avait ensuite brûlé des papiers personnels dans la cheminée, puis était monté dans sa chambre. Il avait pris son Smith et Wesson, calibre 32, et, assis sur le rebord de son lit, s'était tiré une balle derrière l'oreille droite. L'homme savait ce qu'il faisait. Il était médecin.

L'écrivain blâma longtemps son père pour ce coup de feu qu'il assimila à un geste de lâcheté. Puis, à son tour, dans sa maison familiale de Ketchum dans l'Idaho, peut-être ravagé par le fer, il mit fin à sa vie d'une volée de plomb.

Les mauvaises soirées, quand les hespérophanes étaient à l'œuvre, je ne pouvais m'empêcher d'établir des similitudes entre les sombres destins de ces deux familles liées par la médecine et le malheur. La mienne, gréco-romaine hybridée de slave, avait le sens de la tragédie et de la mise en scène. Les Hemingway, américains, pragmatiques, se contentaient, eux, du strict nécessaire, s'en remettant à des auxiliaires de confiance qu'étaient un Smith et Wesson pour le père, et les fusils de chasse à deux coups de marque Boss, pour le fils et le frère.

Hemingway, six, Katrakilis, quatre. La constance de cette

lignée familiale dans le macabre, son hégémonie séculaire, les mettaient hors de notre portée. Et ce d'autant que mon dernier bilan sanguin laissait apparaître un dosage de fer de 102 microgrammes /100 ml, soit une valeur résolument normale. Ce qu'il n'était en revanche pas possible de mesurer, c'était mon taux d'hespérophanes qui, compte tenu du remue-ménage qui s'opérait la nuit dans ma tête, devait être vertigineux.

La nuit de l'an 2000 fut pour moi une nuit comme les autres. Je lus une longue publication scientifico-maritime qui décrivait les zones géographiques et le mode de formation des vagues scélérates. Était notamment évoquée la fameuse montagne d'eau, dite « Draupner », qui le 1er janvier 1995, s'abattit sur la plateforme pétrolière éponyme, ancrée au large de la Norvège. Un monstre marin d'une hauteur de 31 mètres enregistré grâce à des capteurs fixés sur la structure. Capable d'arracher toute la proue d'un porte-conteneur géant ou de déchiqueter le pont et le château du porte-avion américain USS Valley Forge. Lorsque de telles vagues surgissaient devant soi, mieux valait avoir ses Fisherman's Friend à portée de main.

Vers 23 heures j'appelai Olivia et Joey pour les embrasser, leur demander des nouvelles de Laïka et aussi écouter la sonorité si distincte que peut produire la voix des gens heureux. Ils se préparaient à partir à une fête chez des amis. « On a acheté du vrai champagne de France. Et tu verrais Spartanburg. *Hermosa ! Espléndida !* Elle porte une robe qui te donne envie de croire en Dieu. Et toi, ce soir, qu'est-ce que tu fais, Pablito ? »

Ce soir ? J'allais prendre une douche brûlante, faire un tour au premier étage, souhaiter une bonne année au bulbe de Djougachvili, avaler une double dose de Lorazepam, m'allonger sur le dos, penser à « Draupner » et, juché sur ses larges épaules, passer d'un millénaire à un autre sans m'en apercevoir.

Depuis que le monde était monde, il y avait toujours eu deux façons de le considérer. La première consistait à le voir comme un espace-temps de lumière rare, précieuse et bénie, rayonnant dans un univers enténébré, la seconde, à le tenir pour la porte d'entrée d'un bordel mal éclairé, un trou noir vertigineux qui depuis sa création avait avalé 108 milliards d'humains espérants et vaniteux au point de se croire pourvus d'une âme. La médecine ne traitait pas ce genre de questions. Pour elle, l'ongle incarné primait toujours sur l'herméneutique. Comme disait l'un de mes professeurs pour casser les reins de quelques internes pressés d'en découdre : « Nous ne sommes là que pour assurer une zone de moindre inconfort entre les griffes du forceps et celles de la broyeuse. »

Si l'on m'avait demandé mon point de vue sur ces questions durant les premières semaines de ce nouveau millénaire, j'aurais répondu que les vers xylophages qui me vrillaient maintenant l'esprit nuit et jour, et qui me grignotaient déjà sans doute dans le placenta, accréditaient plutôt la thèse de la maison de passage mal fagotée, transitionnelle et attrape-nigaud.

Épuisé physiquement, moralement détruit, dix ans jour pour jour après avoir ouvert le cabinet, je pris la décision de dévisser ma plaque au soir du 20 février 2000, après la dernière consultation. Comme si les choses devaient depuis toujours se terminer ainsi, mon ultime patient vint me voir pour un simple renouvellement d'ordonnance. Je pris sa tension, lui appliquai mon stéthoscope aux endroits où l'on m'avait appris à le placer, fis sa prescription et refusai de lui demander des honoraires. Il trouva cela tout à fait normal, comme il était d'usage qu'un patron de bar offrît sa tournée avant de tirer le rideau.

Ce soir-là, la radio annonça brièvement la mort d'Anatoli Sobtchak à 63 ans. Sans doute marqué par les récits homériques dont Spyridon habillait les morts des apparatchiks, je guettais les disparitions des petits maîtres du grand empire. Sobtchak en était un. C'est lui qui avait débaptisé la ville de Leningrad pour lui redonner le nom de Saint-Pétersbourg et en devenir le maire. Il était également un membre influent du Conseil de la Fédération de Russie, avait enseigné le droit à l'élite de ce pays et certains de ses élèves étaient aujourd'hui devenus ses maîtres. Ils s'appelaient Poutine et Medvedev. Sobtchak était mort d'une crise cardiaque le soir où je mettais la clé sous la porte et quittais la médecine. Il eut droit à des obsèques nationales et aux larmes de Poutine. Mon grand-père Spyridon, qui n'aurait sans doute pas fait grand cas de ces nouveaux Russes, se serait laissé aller à railler la faible constitution de cette nouvelle élite qui vivait et se couchait à des heures chrétiennes : « À mon avis, il n'a pas supporté d'apprendre que tu quittais le métier. C'est l'émotion qui l'a tué. »

Le 20 février donc. Je n'avais pu aller plus loin. Les nuits d'insomnies et les reflux mémoriels avaient réglé l'affaire. J'étais trop malade de moi-même pour espérer soigner les autres. La médecine, ce cabinet, n'avaient été qu'une longue période grise, un temps poreux, sans consistance ni souvenirs, à l'exception de trois morts que je gardais toujours auprès de moi. Parfois ils me demandaient pourquoi j'avais fait ça. Si c'était à cause de mon père. À d'autres moments j'avais l'impression de les avoir à mes côtés pour lutter contre l'avancée des hespérophanes.

Je n'avais jamais eu ma place dans ce cabinet, intégré par facilité tout autant que par mimétisme. Je n'étais pas davantage fait pour soigner des impetigos que pour diagnostiquer des carcinomes. Révéler le mal à un patient, employer des mots de chanoine pour le nommer, consistait à annoncer la fin du monde à l'homme qui était assis devant moi. Je me faisais l'effet d'être le sinistre concierge de ce fameux bordel mal éclairé et d'ouvrir la porte de la béance à un nouveau client. Je m'étais enrôlé croyant pouvoir m'accoutumer, ou à tout le moins essayer de donner le change. Mais il n'y avait rien eu à faire. Ce métier n'était pas le mien. Ce cabinet n'était pas le mien. Cette maison n'était pas la mienne. Et je ne voulais plus de tout ce qu'elle contenait.

Deux mois plus tard elle était vide. Emmaüs était venu chercher tout le mobilier. Je n'avais conservé que les cendres de mon père, les deux carnets noirs, mes gants de chistera, une table, une chaise, un canapé et un lit. Les autres meubles refaisaient leur vie ailleurs, dans une autre maison, une autre famille qui rangerait sans le savoir ses draps et serviettes de bain dans la grande armoire ayant longtemps abrité le précieux encéphale.

J'avais vidé le formol de l'Union des républiques socialistes soviétiques dans le lavabo de la salle de bain et déposé la tranche du cervelet qui avait fait trembler Beria, Prokofiev et Boulganine dans la poubelle bleue réservée aux déchets organiques. Le lendemain, je me levai vers 6 heures du matin pour ne pas manquer le moment de la collecte des ordures. Je me postai devant la fenêtre et regardai ces quelques fragments de la pensée stalinienne emprisonnés depuis mars 1953 être soulevés par les bras articulés du camion, glisser dans la benne et partir, en vrac, au milieu des miasmes de la tournée, pour l'usine d'incinération.

Leur environnement singulier, leurs choses étranges étaient dispersées, mais les Katrakilis et les Gallieni continuaient leurs allées et venues dans la maison. Leurs pas cognaient dans ma tête et s'ajoutaient au bruissement infect de la reptation des vers blancs. Je ne voulais pas de cette famille ni du légiste moscovite, ni de l'ange exterminateur ni de la paire d'horlogers compliqués. Je refusais de prendre la succession de leur entreprise. Je savais parfaitement où ils voulaient me mener. Mon taux de fer était parfait. Je ne m'appelais pas Hemingway. Certes, mon père avait été médecin mais il consultait en short. Je n'avais jamais écrit de livre. Je n'avais ni frère, ni sœur, ni descendance. Mais il y avait ces choses dans ma tête et je ne savais pas qui les y avait mises.

Sans les meubles, les pièces avaient doublé de volume. Les plafonds grimpaient au ciel et chaque bruit prenait une ampleur déplaisante. Toutes les journées, comme je l'avais fait pendant une longue nuit à Key West, je marchais dans la ville, accomplissant des parcours erratiques, obéissant à des trajectoires imprévisibles, cinglant parfois d'est en sud ou virant de nord en ouest, sillonnant les *canchas*, engageant d'interminables et dantesques parties imaginaires disputées contre les plus grands de toutes les époques, Guarita, Camy, Echevarria, Etchalus, Irastorza. Nous jouions devant les tribunes combles de Guernica, de La Havane ou de Bridgeport. À Miami, chez moi, je sauvais des balles impossibles, bondissais à des hauteurs jamais atteintes pour cueillir des pelotes que je renvoyais sur le mur à la vitesse du son. Personne n'avait vu un pareil joueur. Les patrons me proposaient des contrats extravagants. Epifanio et Spartanburg étaient tous les soirs mes invités et dînaient aux meilleures tables du premier étage. Au bar, Sinatra gesticulait en levant les bras, Dickinson, Cage et Newman, eux, étaient debout, brandissant leurs tickets de paris, les femmes comme les hommes m'acclamaient, toutes et tous avaient misé sur moi. J'avais un cœur d'acier et un bras d'or.

Durant ces journées de marches forcées, jamais le mot Jaï-alaï n'avait si bien porté son nom. Joyeux jour de fête.

Le soir, les jambes broyées, recru de fatigue, j'aspirais au repos. Mais dès que je poussais la porte de mon catafalque, là-haut, la valse des vers prenait le relais. Alors je ne dormais pas. Je restais assis. Obligé de revoir le Nagant 1895, la fantasia du scotch, le compteur de l'Ariel et le front de l'horlogère. Parfois les hespérophanes me posaient des questions auxquelles je ne savais que répondre. Par exemple, ils me demandaient comment pendant vingt années j'avais pu conduire la voiture dans laquelle ma mère s'était suicidée. M'asseoir exactement à sa place. Penser à mettre le clignotant. Actionner les essuie-glaces. Baisser la vitre contre laquelle sa tête avait trouvé son dernier soutien.

Alors je pris toutes sortes d'antalgiques mais les anti-douleurs n'arrêtaient pas les bruits. Au contraire, les larves se délectaient de la codéine ou du tramadol que je leur opposais, qui leur donnaient même un surcroît d'énergie.

Je n'avais d'autre choix que de marcher le jour, converser la nuit avec les morts, et laisser œuvrer les insectes à leur guise. Quelle autre issue ? Un médecin pouvait-il raisonnablement aller en consulter un autre pour lui demander de le délivrer de ses fantômes familiaux en lambeaux, de ses patients exfiltrés au pancuronium et obtenir, de ces embryons de coléoptères parfaitement identifiés, qu'ils arrêtent leur tapage nocturne et cessent de vriller mes hémisphères et ma calotte crânienne. Comment expliquer à un neurologue qu'en plus je ressentais physiquement le contact de ces petits vers froids ramper dans mon cerveau. J'appellerais ce phénomène le syndrome Katrakilis, mais cela ne lui dirait rien. Peu m'importait de savoir que plus tard ils deviendraient des insectes volants. Pour l'instant ils étaient glacés, des petites mèches à bois glacées qui rampaient. Et qui, souvent, vers le milieu de la nuit, m'expliquaient que, si j'en étais arrivé à ce point d'infortune, c'était parce que toute ma vie j'avais pris de mauvaises décisions, fait les mauvais choix. Tout le monde savait bien que les types dans mon genre, les indécis, les procrastinateurs, les lâches, invoquaient toujours le destin, les morts, les fantômes, Huntington et même les formes les plus larvaires de l'existence, pour s'exonérer de leurs fautes.

Je pense que je vécus ainsi un mois durant, sous l'emprise de ces hantises dévastatrices, sans sommeil véritable et ne me nourrissant presque exclusivement que de biscuits secs. Début avril, je me retrouvai dans un hôpital où l'on m'avait transporté après un malaise en pleine rue. Je traversais les allées François-Verdier, et soudain, sur le passage piéton, la lumière s'était éteinte. Je fus examiné, scanné, mon cerveau fut découpé en mille lamelles. Au vu des résultats, l'on me soumit une nouvelle fois à la question et, épuisé par ces semaines ravageuses, ruiné moralement, je finis par avouer, piteusement, mes problèmes d'hespérophanes. Cela me valut un transfert dans le service de psychiatrie légère qui avait l'habitude et le matériel pour combattre ce genre de bestioles. Un médecin qui en avait sans doute vu et entendu bien d'autres me reçut à son bureau et me considéra, sûrement comme je regardais mes propres patients quelques semaines plus tôt. Il y avait du désenchantement et de la lassitude sur son visage, exactement celle que l'on peut lire dans l'œil du portier du fameux bordel. « Je vois que vous êtes médecin, je ne vais pas vous raconter d'histoires. Vous faites quelque chose qui ressemble à une crise de psychose hallucinatoire. Tout ce que vous décrivez est assez typique. Je vois aussi que vous avez été très agité ces derniers temps. Dans les mois précédents vous avez eu des problèmes professionnels, familiaux, un deuil, une perte ? » Je fis un léger signe de tête pour dire que non, mais des larmes coulèrent instantanément de mes yeux pour signifier exactement le contraire. « Dans l'immédiat, vous avez surtout besoin de vous reposer. On va vous garder trois ou quatre jours et vous donner un traitement à base de neuroleptiques et de benzodiazépines. » Puis il me fit un sourire confraternel en ajoutant : « Il n'y a rien de mieux pour se débarrasser de ces petites bêtes. »

Je quittai l'hôpital au bout d'une semaine. Dans ma tête, le silence et le calme étaient revenus, j'avais dormi et pris des repas équilibrés. Les médicaments ralentissaient un peu mon idéation mais n'altéraient pas ma lucidité. Je savais qu'en réduisant progressivement les doses tout rentrerait dans l'ordre.

Je redoutais le moment d'affronter l'immense vide et les fantômes têtus qui m'attendaient à la maison, mais mon cocktail médicamenteux se chargea d'apaiser l'atmosphère et de maintenir ma famille à distance. Quelques jours plus tard – ma décision couvait depuis longtemps – je mis la maison en vente et vers la mi-août l'acte était signé devant notaire. Un promoteur immobilier s'était précipité sur l'offre et immédiatement porté acquéreur. Un projet de petit collectif, trois étages, onze appartements là où vivait autrefois une famille. Les temps changeaient, les PLU aussi. Si les Katrakilis voulaient continuer à s'incruster sur place ils allaient devoir respecter les règles de la copropriété et supporter les lois de la promiscuité. Avant de quitter définitivement la maison, je dispersai les cendres de mon père dans son jardin. Désormais il aurait à traiter avec un chef de chantier.

Ensuite, j'entassai le peu que je possédais dans la malle de la Triumph et partis vers le Pays basque. Je m'installai à l'hôtel, à Bayonne, le temps de trouver un logement. Finalement je louai un petit appartement meublé à Hondarribia, le nom basque de Fontarrabie, en Espagne, de l'autre côté de la Bidassoa. J'habitais au dernier étage d'un immeuble qui en comptait onze situé face à la baie, à une adresse qu'un homme encore sous camisole chimique ne pouvait raisonnablement espérer retenir : Ramon Iribarren Pasealekua Ibilbidea, 10.

À perte de vue, le fil de la côte et la trame marbrée de l'océan. Un monde sans fin. Pour aller en France je prenais le bateau-navette et quelques minutes plus tard j'étais à Hendaye. Je pouvais faire mes courses à pied, vivre dans un rond de serviette, changer de pays plusieurs fois par jour. L'argent de la maison me permettait de vivre sans travailler.

Très vite j'entrepris mon sevrage médicamenteux et mon état général s'en trouva amélioré. J'allais en voiture au sommet du Jaizkibel voir arriver les tempêtes de l'hiver. Je regardais ces forces en mouvement, le vent qui creusait l'océan et secouait tout ce qui, sur terre, faisait obstacle à son passage. Face à la sauvagerie de ces bourrasques, je pensais à la force des vagues, au ruissellement des eaux grignotant les falaises de la maison de Socoa qui, elle, n'avait d'autre choix que de serrer les dents et s'accrocher fermement à la terre.

Janvier 2001. La pluie, presque tout l'hiver. Le ciel avare de lumière, dispensée seulement aux heures ouvrables. Une forme d'hébétude que je pris au début pour de l'apaisement. Trop de sommeil. Et peu à peu le retour des miens. Il ne leur avait pas fallu très longtemps pour me localiser et retrouver mon adresse impossible. Leur traque avait dû commencer dès le premier jour où j'avais cessé mon traitement. Ensuite, ils n'avaient eu qu'à laisser faire le temps, ce temps qui jouait en leur faveur, et qui, depuis le début, était de leur côté.

À la fin du mois de mars je pris ma décision.

Les vers étaient revenus. Eux aussi avaient retrouvé ma trace. Ils s'étaient remis à l'œuvre. Discrètement, d'abord, par petites touches, aux premières heures de la nuit, avant d'augmenter la cadence jusqu'au matin. Le contact répugnant de leur ventre glacé dans les galeries. Le bruit de leurs mandibules attaquant la viande et l'os. Au pire de la nuit, quand le chantier redoublait, je fermais les yeux et pour couvrir le fracas, répétais à voix haute *Kvinnen i mit liv*, *Kvinnen i mit liv*. Je puisais de l'aide et de la force où je pouvais. *Digmus Paradigmus*. Et le jour, c'était reparti. Les marches incessantes. Remonter Ramon Iribarren Pasealekua Ibilbidea, prendre la navette du port, sillonner la plage d'Hendaye, revenir. Et le lendemain recommencer ou monter au sommet du Jaizkibel, à pied, par la route, comme une bête qui se serait perdue sur le chemin de Compostelle. Il fallait briser les jours les uns après les autres, leur casser les reins. Et dès que j'y étais parvenu, profiter d'une heure ou deux de répit avant que ne commence la sarabande de la nuit.

J'essayais de ne pas écouter ce qui se passait dans ma tête, mais c'était impossible. Aussi impensable que de devoir affronter « Draupner », de se dresser seul face à ses trente et un mètres. *Digmus Paradigmus.* Mon bouclier d'enfance ne m'était plus d'aucun secours. La sainte alliance de la vermine et de la famille était parvenue à ses fins. Il leur avait fallu quarante-quatre années pour faire de moi l'un des leurs. À bout de forces, un matin, j'eus la ressource et suffisamment de lucidité pour reprendre mon traitement. J'avais besoin de retrouver de la sérénité pour accomplir les dernières choses qui me restaient à régler.

Provisoirement les insectes se mirent en sommeil et la famille alla faire les cent pas sur les coursives.

Je me rendis chez un notaire pour désigner Olivia Gardner et Joey Epifanio comme étant mes légataires universels. La Triumph fut cédée gracieusement à un négociant automobile en échange de bons soins. Quant à mes trois gants, mes grands chisteras, j'allai les accrocher discrètement dans le vestiaire du Jaï-alaï de Saint-Jean-de-Luz où j'avais disputé mon premier tournoi.

Nous sommes le jeudi 5 avril 2001. J'en ai terminé avec ce compte-rendu. Malgré les effets secondaires du traitement j'ai essayé, sur la fin, de ne pas dévier de ma trajectoire. Comme tous les matins depuis quinze jours j'ai pris une dose minimale qui suffit à bâillonner temporairement ma psychose, tout en me conservant suffisamment de clairvoyance.

Le temps est frais, couvert, mais par instants le soleil arrive à se faufiler dans une trouée. Depuis que les larves s'étaient tues en début de nuit et jusqu'aux premières lueurs de l'aube, j'avais éprouvé une forme de paix.

Sans doute faisait-elle suite à la signature d'un concordat passé avec mon père et les hespérophanes. J'acceptais sa succession. Celle pour laquelle j'avais été conçu, depuis le début, celle à laquelle il m'avait ficelé avec ses rouleaux de scotch.

Mais, depuis ce matin, depuis que j'ai vu se lever le jour, l'angoisse et la peur m'habitent à nouveau. Il est normal de ressentir de la peur à un moment pareil. Quand on regarde autour de soi on ne quitte pas autant de beauté sans éprouver de la frayeur. Celle du dernier quagga. Celle des derniers instants.

Je sens battre mon cœur. Il n'aura pas de pancuronium.

Je regrette de ne pas avoir su trouver ma place.

Mon père a sauté du huitième étage. Mon balcon est situé au onzième. Le sol me paraît inaccessible. J'espère que je ne crierai pas. Je voudrais me comporter avec l'élégance du *lunde* qui, au plus fort des tempêtes, s'endort en cachant sa tête sous son aile. Le vent arrive de l'océan. Je ressens des extra-systoles. Je suis effrayé de ce qui vient.

Sur la table basse du salon j'ai laissé les deux carnets noirs en évidence. Sur celui des pathologies, j'ai mentionné : numéro 18, psychose hallucinatoire/hespérophanes. Sur le second, j'ai rempli toutes les informations réglementaires : Katrakilis, Paul, 44 ans, jeudi 5 avril 2001, 14 h 40.

Nom, prénom, âge, jour, mois, année, heure. Toujours dans cet ordre.

Du même auteur

Compte rendu analytique
d'un sentiment désordonné
Éditions du Fleuve noir, 1984

Éloge du gaucher
Éditions Robert Laffont, 1987
« Points » n° P1842

Tous les matins je me lève
Éditions Robert Laffont, 1988
« Points » n° P118

Maria est morte
Éditions Robert Laffont, 1989
« Points » n° P1486

Les poissons me regardent
Éditions Robert Laffont, 1990
« Points » n° P854

Vous aurez de mes nouvelles
Grand Prix de l'humour noir
Éditions Robert Laffont, 1991
« Points » n° P1487

Parfois je ris tout seul
Éditions Robert Laffont, 1992
« Points » n° P1591

Une année sous silence
Éditions Robert Laffont, 1992
« Points » n° P1379

Prends soin de moi
Éditions Robert Laffont, 1993
« Points » n° P315

La vie me fait peur
Éditions du Seuil, 1994
« Points » n° P188

Kennedy et moi
prix France Télévisions
Éditions du Seuil, 1996
« Points » n° P409

L'Amérique m'inquiète
Petite Bibliothèque de l'Olivier, 1996
« Points » n° P2053

Je pense à autre chose
Éditions de l'Olivier, 1997
« Points » n° P583

Si ce livre pouvait me rapprocher de toi
Éditions de l'Olivier, 1999
« Points » n° P724

Jusque-là tout allait bien en Amérique
Éditions de l'Olivier, 2002
Petite Bibliothèque de l'Olivier, 2003
« Points » n° P2054

Une vie française
prix Femina
prix du roman Fnac
Éditions de l'Olivier, 2004
« Points » n° P1378

Vous plaisantez, monsieur Tanner
Éditions de l'Olivier, 2006
« Points » n° P1705

Hommes entre eux
Éditions de l'Olivier, 2007
« Points » n° P1929

Les Accommodements raisonnables
Éditions de l'Olivier, 2008
« Points » n° P2221

Le Cas Sneijder
Éditions de l'Olivier, 2011
« Points » n° P2876

Réalisation : Nord Compo à Villeneuve-d'Ascq
Achevé d'imprimer par CPI France
Dépôt légal : août 2016. N°1025-2 (136885)
Imprimé en France